Your
Hidden Truth

隱藏的眞相

伊莉莎貝・福提諾寶勒斯◎著
Elizabeth Fotinopoulos

找出及克服生命中的障礙

黃照寰◎譯

獻給吉米，

及那些持續不斷地給我

智慧與力量的優美靈魂。

致謝

沒有一些好朋友的協助，這本書是不可能完成的。我要在此衷心地感謝佩緹・底特律(Patty Detroit)、黃照寰博士(Dr. Chao Huang)、和最近永別，而我們會永遠懷念的阿尼斯透・瓊納斯醫生(Doctor Ernesto Jonas)。我也特別誠摯地感謝那些允許我用他們的故事來點出書中重點的朋友。還有一些朋友花了許多時間來閱讀此書，拜且提供他們的感想讓此書漸趨完美，他們包括 Jay Lemke、Faye Greenberg，特別是麥特・第拉品拉(Matthew de la Peña) 和亞歷克斯・第拉品拉(Alexander de la Peña)。

最後，也是最深切的，我要感謝那非常支持我的家人——那一直支持我的先生彼得，和我生命中最重要的兒子，比利和小彼得。

我5歲時是個快樂的小孩，充滿了愛與光。

我7歲的生日慶祝會，來參加的親朋好友
都知道我的天賦。

我16歲時，大部分時間都與年輕人一起工作。

吉米過世前和家人的合照。前面左起是老二比爾、老三彼得、老大吉米，這是吉米最後的野餐。

先生彼得和我在波多黎各。

我和永遠支持我的先生。

給台灣

我要藉此機會感謝台灣人，
你們溫暖的擁抱我、歡迎我，
你們以歡笑、慈愛鼓勵我，
你們信任、相信我，是送給我最好的禮物。
我也同樣相信你們，
我相信你們堅毅不拔，
你們挺過無數風暴，
我相信你們充沛的力量。
但是，現在你們的維續取決於你們的意志力與明智的選擇，
我知道現在是準備作重要抉擇的時刻，每一個人都要參與。
你們的抉擇將決定台灣的未來，
台灣的穩定及成功有賴於你們的智慧，
穩定及成功得之不易，但台灣的明天會因此而更好。
我們必須把焦點放在「和平」，
學習以認真負責的方式思考，
擁抱你們的信念，
接受不同的聲音，
一切不同的聲音必須「和平共存」。
不論抉擇爲何，我期盼台灣在充滿希望與信任的「新」的一天中再出發，
我必定會感受到你們的溫馨與快樂，聽到你們的歡笑。

My dedication to Taiwan

I want to take this opportunity to THANK the people of Taiwan.
You have embraced me warming and made me feel welcome.
You have inspired me with your laughter, love and kindness.
You have given me the great gift of your Trust and Faith in me.
I believe in you , as well.
I believe your strength cannot be taken from you.
You have endured many storms.
I believe in your resilience.
But now your ability to succeed will be measured by your willingness,
to make wise choices.
I know this is a time to prepare for important decisions, that each individual
must make.
Your decision will help shape what will be Taiwan for years to come.
The stability and success of Taiwan depends on your wisdom.
The days to come will be difficult, but they will mold our future into a better Taiwan.
We must focus on PEACE.
Learn to deliberate in a conscientuous way.
Embrace your beliefs
Accept also that difference of opinion exist.
But all our difference must be settled PEACEFULLY
I want Taiwan to wake up to a NEW day and find hope and trust in whatever,
decision has been made.
I must feel the warmth and your HAPPINESS, and hear the sounds of your LAUGHTER.

本書是關於：

父母

伴侶

愛情

事業

子女

健康

痛苦

及

個人潛力

的想法、觀察與實踐

目次

愛情和欲望，就像是生存所必須的空氣和水，它們能讓你躊躇滿志，生機勃勃，也能讓你悵然若失，痛不欲生。你必須清楚地掌握它們。如果你做了錯誤的選擇，你一定要捨得適時的放手。

2.海倫／52

你必須知道自己的價值。如果你讓別人控制你的生命、允許環境掌控你的未來，甚至相信命運由天註定——那麼你將承受他人替你決定的後果。其實你有能力選擇自己的道路，或好或壞全掌握在自己手中。

3.維克多／81

不要自己擊敗自己，因爲致命的感染會由內部發生。內心無法平安就等於死亡；雖生猶死。如果囿於環境而達不到我們想要的目標，我們就必須釋放自己去找尋生命眞正的意義。

4.約翰／91

「活著」本身就是一條艱辛的道路——遑論還背負著兩個截然不同的生命？誠實地面對眞我，因爲所有的人都會有安身立命的所在。

「苦難」是生命的一部分，不要懼怕它。當你覺得命運對你特別殘酷時，想想那些處境更爲艱難的人吧！無論痛苦再怎麼難以承擔，請爲生存而奮鬥。智慧，就是苦難淬礪的結晶。

伊莉莎貝的傳奇

李歐梵

乍看之下，伊莉莎貝是一個很平常的女子：一個家庭主婦，三個孩子的母親，相夫教子，住在紐約長島附近，過著平庸的生活。她和我們全家相識的過程，華苓會在她的文章中有所交代。

她的「異稟」——她自己說是上帝給她的一個恩賜（gift）——對我並沒有太大的吸引力。況且我們初識的時候她常常和我的妻子藍藍通電話，我不便也不願干涉她們的來往。她有時候來洛杉磯看我們，為了掙點錢養家（她的丈夫在一家義大利肉餅店工作，生意不景氣，入不敷出），也不得不用她的特異功能賺點錢。她可以窺測人的心態，甚至預卜未來，但不願用“Psychic”這個字，因美國的Psychics極多，到處招搖撞騙，她寧願用心理「顧問」（Consultant）這個字，爲人解決感情、心理和事業上的疑難。她篤信上帝，認爲自己與生俱來的異稟只能用來助人、普渡衆生，收點費用是不得已的事，而且她常常被一些不三不四的人欺騙，談完之後不付錢或欠帳。我一向對洛杉磯人的勢利和虛僞深惡痛絕，這些川流不息的陌生人到我們家來拜訪她，使我不勝其擾，因之對這個拜金主義的都市更恨之入骨，甚至恨不得它石沈大海（當時還沒有地震），把這些只知道賺錢的洛杉磯人一個個淹死！想不到伊莉莎貝的感覺和我一樣，記得她有一次對我說：「我看洛杉磯的末日快到了，大地已經在憤怒，這些人喪盡天良，遲早要受到上帝的懲罰！」她的口吻當然有點像聖經舊約的味道，我不以爲奇，雖然我心有戚戚焉，但我也禁不住欣賞她的某些詞彙，甚至覺得有些詩意，譬如「大地已經在憤怒」這種句子。想不到這句話說了不久洛杉磯就發生地震！

記得洛城第一次地震的時候，我們全家剛好出城，伊莉莎貝一個人留守，爲我們看家，那天晚上她自己都有點震驚，事後打電話給她全家報平安，她的丈夫卻毫不感到意外，還提醒她說：「記得嗎？一年前你就告訴過我，有一天你去洛杉磯就會碰到地震！」自從今年一月的大地震後，每次伊莉莎貝來訪我都會問她：「以後還會有地震嗎？最大的地震（洛城人戲稱The Big One——大個頭）什麼時候發生，妳測測看！」我雖語近譏諷（諷刺的不是她，而是這個令我厭惡的城市），她卻非常嚴肅的說：「大個頭一定會來的，不過，當它降臨的時候你們全家已經搬走了，你們搬走以後，我也不會來了！」她甚至振振有詞地說，大地震之後洛杉磯會裂成幾個小島！

伊莉莎貝的使命之一，就是勸說我們全家離開洛杉磯。

這件事說來容易，然而知易行難；那裡有新差事可找？想不到就在我困惑的時候，哈佛大學的幾位教授竟然向校方爭取到一個職位，來信請我去任教。我得到聘書後，心中仍在猶豫不決，加州大學洛杉磯分校待我不薄，而且藍藍也在該校舞蹈系教書，頗受器重，我不願只爲了自己的事業前途和對一個城市主觀上的厭惡而不顧妻子和家庭。另外，香港一向是我喜歡的地方，也很想到那裡去，在九七大限之前幹一番事業。所以哈佛的事拖了將近一年，在此期間，我也有一種心理上的徬徨，所以就向伊莉莎貝請教。

事業和婚姻本是人生兩件大事。伊莉莎貝的立場卻十分堅定淸楚，她對於自己家庭的忠心和熱愛，以及和藍藍之間親如姊妹的友誼，無形中也影響到我，她特別重視婚姻和家庭，對於當代美國社會極高的離婚率，她頗爲切齒，這是她保守的一面。而對我而言，藍藍在舞蹈藝術上的成就我一向引以爲榮，當然不願意她因我東遷而放棄一個頗不錯的職位，即使我做不到絕對的家庭至上，至少也不願意自己的事業先行，所以心中但願福從天降，藍藍也可以在東部找到一個更好的差事。這件事，伊莉莎貝一開始就胸有成竹，在經過一次波折後，她大言不慚地告訴我們：

「你看吧，好事還在後頭，藍藍還會找到好差事！」此話說後，果然不到半年，東部康州學院的舞蹈系就請藍藍去作系主任，我們全家終於可以離開洛杉磯！伊莉莎貝對我說：「還記得嗎？去年我們在愛荷華，我們同去安格爾先生墓前瞻仰，後來從墳場走回華苓的家，我不是和你長談過嗎？我堅持你一定要去哈佛。我花了三年功夫，終於把你們全家說動了，我的任務也完成了。」然而我們卻因此變得更親如家人。

爲什麼她對我們這一家特別好？爲什麼她有時不顧自己的孩子和丈夫來爲我們解決問題？而她對藍藍的女兒安霞更是愛護備至，並且和華苓也成爲知音好友？這是一個什麼樣的緣分？

伊莉莎貝在沒有認識藍藍之前就有一種預感：她覺得我們這一家對她是一種「導引」，使她得到自己應有的歸宿。和我們交往之前，中國在她心目中只是一個名稱，她甚至不知道大陸、台灣和香港的地理位置，把三地混爲一談。她每談到中國（她預測將來還會有大亂）都使我們驚心動魄，因爲我們也搞不清她說的究竟是那個地方，然而對於她自己將來的歸宿之處，她卻斬釘截鐵地堅信是在中國大陸的一座高山深處，每次她爲我們描述，都十分具體，最近馮驥才和李陀來訪，她還特別向他們請教，想索取一種特別的紙張，要把她心目中的地圖畫出來。她的形容大約如下：

「我知道，這是一座很高的山，而且山頂上老是有雨，雲深不知處，有一座建築，上面有一個尖尖的頂，住在這裡的人穿著一種奇怪的衣服，不像是我們常見的布，摸起來不同，我知道他們見了我一定接受我，不會有任何語言障礙，我會感到特別平靜，我到了那裡，就不下來了，因爲那就是我的地方。」

我初聽這一話，不禁大爲吃驚，因爲她顯然是在描寫山上的一座佛家寺院，而她從來還沒有聽說過佛教這回事，也從來沒有見過和尚和尼姑。當然，從一個泛宗教的觀點而言，希臘正教（她和她丈夫所信仰的宗教）和佛教之間或有幾分相似之處，但中西文化的距離畢竟太大，她不可能把一個西方宗教的經驗演化成一個東方宗教來證實和我們的緣分。我認爲這是她最「奇」之處。而我在這一連串的神秘劇中所扮演的角色正是一個「解經者」——雖然我並不相信任何宗教，而對佛教的知識更爲膚淺。然而我仍然認爲這是一種挑戰，甚至從文學的觀點而言，也是一件頗有啓發的事：伊莉莎貝所描述既是一個心目中的幻象，也是一種宗教上的寓言，她自己信以爲眞，而我卻把她的故事作小說看——這一個「文本」的語言是具有象徵意味的，而更特別的一點，是敘述者本人也沒有足夠的語言來描述她所看到的「眞實」：到底山上的人穿的衣服的材料是什麼？（和尚穿的袈裟？）這些人爲什麼會歡迎她來？她怎樣跨越兩種不同文化的深淵而進入佛家所謂的圓寂之境？當我用英語向她試作解釋的時候，突然也感到自己語言的不足，佛家用語，中文的我略知一二，但怎麼譯成英文而使她也聽得懂？什麼是佛家的圓寂？況且，我這一套解釋能否令她信服？即使她認爲我言之成理，我是否又能信服自己的「詮釋權威」？

最近一年期間，我覺得我和伊莉莎貝之間無形中建立了另一種「哲理」上的關係，而且這個關係的本身就是一個故事，而這個故事從頭到尾都是由我而起，而且有我主動參與，所以我自認有資格作主要的敘述者。既然現在說話的人是我，也希望讀者相信我的話語的眞實性。用普通人的話來說，以下是我這個目睹者和參與者的「證詞」。

不過我還要先說兩句有關詮釋的題外話。我曾問過伊莉莎貝：到底她的異稟能夠使她看到什麼？而更重要的是怎麼看？她說她和一個「對象」談話的時候，往往在這個人的前後左右看到幻象（甚至不需要看到這個人，在電話中也可以談，也可以看到幻象），所以她也必須把這些幻象的意義經過日常語言「解讀」出來，每次和一個對象談話，她就叫作“reading”，因此我時常戲言道：其實我們兩個人是同行，都是在作「解讀」的工作，只不過我的解讀對象不是人的幻象，而是文學的「幻象」（譬如小說）而已。有時候我甚至賣弄一點從文學理論得來的功能，把她說的話再作一層「後設」的雙層解讀，不免誤打誤中，令她吃驚：「怎麼你也知道我心裡想說什麼？而且我話還沒有出口？而你這個人什麼幻象也看不見！」我在得意之餘就更肆無禁忌了，但也時時出錯，露出馬腳。

有一天我們大家從深夜談到天明，我在半睡半醒的狀態下聆聽她的寓言式的說教，突然感到她聲音低沈，不像一個女人在說話，心中不禁湧起一個幻象（純屬文學上的想像）：她好像是一個中古歐洲寺院的一個苦行僧，聰明絕頂，但卻受到教廷歧視，所以落落寡歡，不自覺地預卜先知，但又曲高和寡，沒有人相信……。「伊莉莎貝，我看你就是這個人的轉世投胎！」

「什麼是投胎？」她從未聽過這個名詞（我用的英文字眼是reincarnation，她也不懂）我發覺自己也有語病，怎麼把佛家轉世投胎的觀念用到西洋宗教上來了？然而伊莉莎貝卻堅信我的說法——並認爲自己原是男身。而且，她此後的經驗就更玄妙了。

有一次她來洛杉磯，我到機場去接她。她下機時若有所失，跟著我到停車場，我的書呆子老病復發，竟然忘了停車的地方，她卻毫不猶豫地說：「不是就在那兒？」到了家裡，我不禁好奇地問她：「怎麼還記得我的車子是什麼樣子，而且從老遠就看到了！」她回答說：「其實，我一上飛機，就覺得異樣，好像有兩個女人也上了飛機，一個坐在我旁邊。我下飛機的時候，看到你坐在候機室等我，你旁邊就坐著另一個女人，她們的穿著很奇怪，都剃了光頭！」「當然是尼姑嘍！」我不禁脫口而出。「這兩個尼姑好像還拿了一包東西，下機時把這包東西丟下了，我看沒有人拿，就提著跟你走，走不多久，就遠遠看到一個發光的神像，盤腿而坐，就在你車頂上，所以我知道這輛車一定是你的！」（那包東西呢？意義何在？我在此暫時不表。）我聽後目瞪口呆，覺得自己這半輩子和佛家絲毫沾不上一點緣分，怎麼受佛保佑？也許自己這個怪名字——歐梵——還有些許關連吧，也許我命中注定要把歐洲文化和佛經聯在一起！但又如何聯法？

那次「汽車事件」後（我又開玩笑地說：有佛祖保佑，在洛杉磯開車再也不怕撞車了，因爲我確曾被別人撞過），又過了幾個月，伊莉莎貝再度來訪，一進門就對我說：「我有兩三次心靈的經歷，一定要告訴你！」但當晚我無暇聆聽，正要出席一個學生的宴會，藍藍也不在家，留下伊莉莎貝一個人看家，這種情況，似乎變成了常事。第二大早上，她的面色和態度都有點反常，不知所措的樣子。「睡得好嗎？」我禮貌地問她，她卻答非所問地說：「他們派一個人在門口，一個人在我床邊，守了一夜，對我十分尊敬，低著頭，好像我是他們的主人一樣。」

昨天晚上，一定有一段離奇的經歷。

「你走後不久，我也累了，看看電視，就關了想上樓睡覺。突然電燈滅了，我聽到了一個尖尖的金屬聲音——Ding，Ding的響——然後他們就進來了，一群人站在走廊上，還有幾個人靜悄悄地走到我面前，都穿著那種衣服，質料很特別。我本來有點怕，後來感覺很平靜，很超然，他們把我的衣服脫了下來，我全身赤裸，並沒有羞恥和不安的感覺，好像我的靈魂已經跳出我這個身體的軀殼，然後他們要我把那種料子的衣服穿在身上……我坐在那裡，他們一個個的走近來，向我頂禮膜拜，然後又悄悄地退了下去，我好像又被他們抬起來，我變成了一座神像，自己的皮膚硬硬的，沒有感覺……」。說到這裡，藍藍在旁邊聽著，就狠狠的在她手臂上擰了一把，害得她直叫痛。

「然後他們抬著我，從那座山上跑下來，我好像坐在一個木頭架子上，不能動彈。我要回到那座山上去，我知道那裡是我歸宿的地方，但是我又不能……」

然後呢？（這是每一個聽故事的人的共同感覺）她怎麼從這個幻境回到現實？又怎麼走到樓上客房入睡？又怎麼覺得有兩個人默默地守著？這些細節她似乎沒有詳述。我一邊聽一邊在作詮釋，這是那一代佛祖轉世現身？佛家的什麼儀式？她不可能杜撰吧，這麼多的細節，她不可能事先知道。突然她向我們宣布：「我這個經驗是一個新的恩賜，我知道她們給了我許多，我也必須付出一點，作爲報答。我能犧牲什麼？我已經超脫了，只剩下一個軀殼，一個肉身。我覺得有不少肉身受人宰割，我覺得世間多少生靈都在受難，我突然看到印度的一個鄉下，一個女孩的臉被她親父割劃變形，爲了逃避一場災難……我知道我要付出一點最微不足道的東西，從今以後，我不能吃肉，不穿華麗的衣服，我要吃素。」

吃素是我故意添加的中文字。伊莉莎貝說了這一大段話，顯然還不知道素食是佛門的最基本的規律。吃了素以後，下一步怎麼走？出家？

一個洋人——一個體重將近兩百磅的家庭主婦——怎麼可以出家？藍藍感情衝動地說：「我不讓你走，我不要帶你到中國，我不要你上山！」我也頗受感動，但卻用另一種方式向她解說：「你聽過觀音的故事嗎？她在印度佛教中本是男身，到了中國就變成女的，她是很入世的神，必須在普渡衆生之後，才能修成正果。她應該作爲你的榜樣，你現在不就是在普渡衆生麼？不過，洛杉磯的這些富人，恐怕永劫不復了吧，不值得你花功夫超渡。」她笑而不語。我邊說邊在洗碗，突然一個杯子掉下地來，破成碎片，我又舊病復發地開起玩笑來：「看樣子你身邊的兩個小和尚在搗鬼吧，怎麼我看不見？」她聽後面有忤色，不再言語。過了一會兒才開口說：「你的玩笑眞傷我的心，我爲你羞愧，我感到自己是一個烏龜，恨不得把頭縮進去，你又何必開這種玩笑？」話雖平常，但她不覺又用了一個佛家的經典意象——烏龜（我從未讀過佛經，遑論《冊府元龜》）。

直到現在，伊利莎貝還是一個素食者。

（一九九四年八月二十五、二十六日，《聯合報・聯合副刊》）

伊莉莎貝和我

喬治・第拉品拉

大約十五年前，我有幸遇見一個非常奇特的人，她深遠地，無可估量地，影響了我的一生。介紹我們的朋友說，她有超凡的能力和改變生命的洞察力，「很難說她是屬於那種人，」我的朋友說。

「她是一個成功的女企業家，也是一個生活顧問，但她不止如此，她改變過很多人的生命。她是怎麼做的呢？你必須親身體驗才會明白，有些人形容她悲天憫人，有人說她觀察敏銳，但這些詞彙，都不足以形容她的能力於萬一。」

這些話勾起了我的好奇心，我那時的生活可以說是滿成功的，其實不需要改變，我在好萊塢工作，待遇非常優厚，我跟我太太和兩個兒子住在知名的比佛利山莊。我覺得自己相當幸運，但又老是覺得有什麼事不對勁。現在我終於遇到一個人，能幫我找出那一直困擾著我的問題了。

伊莉莎貝是一個具有親和力和神秘力量的女人，她非常慷慨大方，而且給人一種沉穩的感覺——就像是大地之母一樣。當她知道她有機會幫助人的時候，她的眼睛會因興奮而閃閃發亮，她有力的聲音富有吸引力，而且總伴隨著柔和的笑聲。當處理細膩或難堪的情況時，她的態度會變成非常的溫和而小心。我記得第一次見面時她說的話：

「我很喜歡認識新朋友。」她說：「這裡很多人熟悉我的能力，他們知道只有在他們允許的情形下，我才會去感受他們的想法。然後，有些事情可以與大家分享，有些事情只能在私底下討論。你不必說話，我就知道你在想什麼——沒有解釋的必要。即使我對著一群人說話，你也會知道裡面的幾句話是對你講的，因爲那幾句話我的確是針對你講的。」

我立即喜歡上她，她非常直接，不擺架子，而且尊敬大家的隱私。她先跟每個人打了招呼，然後在房間中間的一張椅子上坐下，對著我們說話。她談到生命以及我們在生命裡所做的「選擇」的意義，我們全神貫注的聆聽。她起先討論一些一般性的議題，然後開始討論特殊情況，她看著一個男人說：

「你再怎麼努力也不會令那個人滿意的，你想取悅他，但是你怎麼做都是不夠的，追根究柢，這到底是誰的生命呢？你的，還是他的？」

她說的情況似乎也適用在每一個人身上，她繼續以同樣的方式與屋子裡的每個人「交流」。當一個人瞭解到她其實是在「對自己說話」——指出他的特殊問題——他開始感激地點頭。就這樣，一個接一個，沒多久，屋子裡的每個人都對她感到心悅誠服。終於，輪到我了，她提到我的一件童年往事，我驚訝得笑了出來。它是非常特殊的事件，是我們家的秘密，外人不可能會知道，連我身邊的妻子也一無所知，伊莉莎貝微笑著，她在暗示我她的能力是言語無法形容的，她清楚地在邀請我——如果願意，她可以更深入的跟我探討。我決定要私下跟她見面，看她還能「看到」什麼。當晚結束時大家都同意：這是個令人難忘的經驗。

伊莉莎貝和我們之間發生的事本身就是個奇妙的故事，但是現在回想起來，最奇妙的是她四年之後如何再次進入我的生命。我們在第一次會面之後聯絡頻繁，然而兩年後她家裡出了事，她神秘的消失了蹤影長達兩年。那段時間裡我的生活也起了劇變，我多方身處危機，但我確信我能處理，就在這個時候，意想不到的，消失兩年的伊莉莎貝打電話給我，她要「盡快的」跟我見面。她緊急的語氣令我惴惴不安，我知道她一定有重大的目的，才會花兩個小時的車程來看我，我那時沒想到的是：她用她獨特的方法又連上了我生命的旅途，她「看到」我出了問題。但比起她「看到」將要發生的，這只是冰山一角。

伊莉莎貝知道追求夢想對我是無比的重要，而那時，她「看到」我經常覺得我的夢想根本沒有實現的一天，她馬上就讓我回到我正確的軌道上。「在你生命的過程裡，此刻你已經落後進度了，你的注意力分散了。」她溫柔的責備我：「你自艾自憐也夠久了吧。」

她說這些話的瞬間，我就懂了，她在講我生命中一個痛苦萬分的鬱結——一連串的事件在我身上留下的恆久衝擊。

「你的生命在那時候其實就結束了，你現在只是隨波逐流，而不是爲你的目標在奮鬥。」

我必須要化解掉那個鬱結，才能回到我該走的路。我原來想寫本書，讓別人能由我的慘痛經驗中受益，但是時過境遷，我淡忘了痛苦，喪失了要與他人分享經驗的決心，我停止追求這個似乎沒有多大意義的心願。我的胃因爲恐懼而開始糾結，四年前，第一次遇見伊莉莎貝的時候她幫我找出我該走的路，如今我卻從那道路上迷失，我也害怕，當時她幫我打開的機會之門已經開始逐漸關閉。

「最悲哀的事莫過於悔恨——在你的餘生悔恨你沒有盡力追求你想要的東西。」

她不只是在看著我，她在「讀」我——直接感覺到我的內心，她戳破了我偽裝的堅強，檢視我靈魂最深處的恐懼，她一方面也在尋找我的激情——它到那裡去了？伊莉莎貝知道我激情不再，因爲她可以看到那些消磨了我雄心壯志的事件。

「那股渴望追求夢想的欲望到那裡去了？」她也知道答案。

她的話觸動了我心裡一根敏感的神經，她明確的警告讓我啞口無言，我無地自容，只能點頭，當我承認了情形的嚴重性，她的語調從關心轉成了樂觀：

「你該行動了，再沒有時間可以浪費了。」

我瞭解，但那只是她那天的目的之一。在強化了我的信心和重排了我的優先次序之後，她進一步告訴了我幾件在感情上和金錢上，如果不準備好，將來會深切影響我的事情。她預言了一件非常具體的事，卻讓我跌入痛苦的深淵——我難以置信，卻不得不去面對。我處在生命中的一個重要的轉折點，如果我不改變心態，我將傷害到許多人，我需要穩定的精神和冷靜的情緒，光是讓我回到追求夢想的軌道上還不夠，更重要的是，即使知道即將發生可怕的事，我還是必須不斷地激勵我自己，不能消沉。我向她保證我會立即照她的指示採取行動。

伊莉莎貝當天給了我一個非凡的、痛苦的，但最後是愉悅的禮物，我將在後續的章節裡跟各位詳細分享這個經驗。

當然，在生命中還有比我在那片刻體驗的更大的痛苦，每個人對痛苦的反應不一樣，痛苦的程度也是相對的。很久以後我才知道，伊莉莎貝當時才經歷了一個生命裡最慘痛的劇變（我會在後面的一個故事裡詳述），她簡短的暗示那就是她神秘消失的原因，但迅速的從這個話題上移開。她有重要的事情要跟我一起處理。我如此的感激她對我的關心，我沒聽出她深切的痛苦，我只聽見：「我必須找你，因爲我們不能再浪費時間了。」她的電話不是社交的寒暄，有「原因」促使她來找我。我想問她我們失去聯絡後她的近況，但是她堅持她的任務：要幫助我。這就是典型的伊莉莎貝，把自己的事置之度外，去幫助那些迫切需要的人。而根據即將發生在我身上的事情，我極需幫助。

她把她幫助人的過程和經驗集結成書，來幫助更多的人。

「有時候上天賜予我的這件禮物讓我難以承受，但是我必須與大家分享它的好處。」

考慮再三後，伊莉莎貝決定從她的自我退隱裡復出，她要我幫她一起完成這本書。我觀察了她與客戶工作的情況、讀了她的筆記，並和她反覆討論，最後我們歸結出一個讓人們不得幸福的關鍵因素，這本書能幫你克服這個因素。我們彙集了一些她希望能啓發讀者的故事，其中人物的名字都更改過了，但是每個都是眞實的故事。

「在另一個人的故事裡你會看到自己的影子，你會意識到你並不孤獨，你也不是唯一面對挑戰的人，透過他們的眼睛和經驗，你會有所啓發，你會恢復對你自己的希望。」

伊莉莎貝希望藉此書喚醒人們的激情和渴望，去追求他們眞正要過的人生。有些東西又再次的呼喚伊莉莎貝。

「時間非常急迫了，很少人眞正知道這件事的重要性，這是個自我反省和分享的旅途。當我們走上這個旅途，重要的是要瞭解每個人都有獨特的過去，我們都受著環境的影響，而且都有不同的反應。我們每個人都有獨特的歷史，因此，沒有人能眞正的瞭解另一個人的體驗。瞭解生命中過去發生的事是很重要的，不瞭解你的過去，你未來必將重蹈覆轍。」

這本書可以在這個反省的旅途裡指引你，它是一張地圖，標示著許多人的感情與經驗，從他人的經驗裡我們能感受到某些相似性，但是一定要記得我們必須檢視自己的過去，才能活出完整的生命。

當我們瞭解我們的過去，進而意識到它是如何影響我們的現在，我們才能活出我們要的，而不是我們勉強接受的生命。如果我們願意如此反省，我們就有希望讓我們的未來更上層樓。

我最早的一個清晰記憶

伊莉莎貝

我五歲那年，有一天，我坐在我家樓梯底下，聽著拜訪我父母的人們進進出出。當每個人進來的時候，我感覺我就「變成」了他。

我的母親叫著我的小名：「愛莉，你在那裡？吃飯了，我做了你最喜歡吃的東西，我要去照顧客人了，你和奶奶先吃吧。」

奶奶從小和我最親。我和奶奶在桌上禱告，然後享用母親準備的食物。

靈光乍現，我突然感覺我必須要到客廳裡去，客人在那裡歡聚一堂，高談闊論。我在他們之間游走，我感覺好像「進入」了他們的身體，那是一種冷冷的，卻又非常強烈的感覺，這種感覺讓我好奇，也讓我害怕，但是我還是這麼做了，因爲「進入」他們的時候，我看到更重要的東西。

接著，我總會有個強烈又莫名的欲望，要找出一個人來跟他說話，我的奶奶一定知我甚深——因爲每次我這麼做的時候，她都在附近。

我找上的這位女士正玩得興高采烈，一點都不知道她即將面臨天翻地覆的巨變，她看著我走近，我在她眼裡看到恐懼、淚水和痛苦，我走得越近，那些即將讓她受苦的緣由就越清楚。我在她身邊坐下。

「好高興妳能來，」我說：「我很遺憾你的先生會去世，但是你還有一些時間，跟他好好的談談，告訴他你愛他，這樣不只他會高興，以後你也會好過一點。」

「你在胡說什麼？」她說：「妳爲什要這麼說？」

她看著我奶奶，滿臉的難以置信——一方面要瞭解我在說什麼，另一方面又不願知道。我那有著同樣能力的奶奶幫我解釋：

「她覺得她一定要告訴妳，請記得她的話，希望它們能幫助妳，我的孫女是有特殊能力的。」

「我真的不知道……我先生看起來一切正常，他沒抱怨什麼，也沒什麼病痛，不管怎麼樣，還是謝謝你，我該走了……」

她站起來，用奇怪的眼光看著我。從那以後許多人用同樣的眼光看過我。

那位女士走了以後，奶奶牽著我的手到我的房間，她說：「有些事，他們不是眞的想要先知道，我瞭解妳覺得妳應該告訴他們，可是妳要等到他們要你幫忙的時候才說。妳非常，非常的特別，可是，妳一定要學會等待——等到該說的時候才說。」

幾個禮拜以後，那女人的先生過世了，就如同我預言的一樣。

請瞭解，我從來沒有選擇要有這種能力，我也完全沒有準備，當我開始有意識的時候，我就已經擁有這種能力。

前言　你隱藏的眞相

伊莉莎貝

每個人都有一個「隱藏的眞相」，有的人還不只一個。到底什麼是「隱藏的眞相」？簡單地說：它是一個看不到，而悠關你自身的事情——它可能是一種天分、一個願望、一份夢想、一絲恐懼，或者一齣悲劇，更有可能，是一個你想要隱藏的感覺或一個你刻意要遺忘的事件。很多時候，「隱藏的眞相」是一個你刻意去忽略的直覺，因爲，你或是另外一個人的生命裡，容納不下這個眞相。

「隱藏的眞相」也可能涉及親友——那些我們看不到，或者當你決定蒙蔽良知，因而視而不見的事情。但是總有一天，「逃避」只會讓我們無可避免地面對眞理之牆。隱瞞導致的最終結果是：不平衡的生活，不幸福的生命。

不管你隱瞞的眞相是什麼，你必須要學著面對，對自己誠實是生命裡最重要的一個課題。順從眞我，發展天賦，你將得到幸福、享有成就。

筆記

看這本書時，你要做的最重要的事就是：閱讀了我的話以後，馬上寫下你的想法、聯想到的名字、事件和任何事情。

寫下這些思緒以後，把它們用在練習手冊裡——把這本書當作是你自己的創作。練習手冊裡也可以包括照片、藍圖，和其他任何在這個自我發現的旅途上可以幫助你的東西。如果你堅持不懈，你會有許多奇妙的發現。

第一部

故事

Your Hidden Truth

這裡收集了一些我客户的真實故事，在你閱讀他們人生旅途的時候，也許你會發現，自己曾為相似的事情做過類似的掙扎。

1.

Your Hidden Truth

貝琪與喬治

愛情和欲望，就像是生存所必須的空氣和水，
它們能讓你躊躇滿志，生機勃勃，也能讓你悵然若失，痛不欲生。
你必須清楚地掌握它們。
如果你做了錯誤的選擇，
你一定要捨得適時的放手。

我首先注意到這對夫婦的是：他們彼此截然不同，他們對生命的看法相左而沉溺於痛苦之中。我能伸出援手，但是他們必須要作出抉擇——來成就他們自己。第一次見面時，我就知道他們將是我生命的一部分，如同喬治寫的〈伊莉莎貝和我〉，我們的首次會面僅僅是這個複雜的旅途的起點。他們要面對許多問

題，但我只能幫忙一個一個的解決，它導致我許下一個我誓必實踐的諾言。

以下，喬治將講他自己的故事。（喬治的講述用仿宋體表示，他人亦同。）

1

第一次見到伊莉莎貝，是在一九九二年暮春的一個晚上。那晚開車回家的路上，貝琪異常的安靜。「真是一個神奇的經驗，她的能力真驚人。」我說：「是啊，可是我真不知道該怎麼『歸類』她。」貝琪語帶保留的回答，她的反應讓我困惑，我設法繼續追問，但是她看起來心神不寧，可能是在掛念我們八歲的兒子麥特和四歲的亞歷克斯。到家後，保姆報告了孩子們當晚的活動，去臥房看了他們後，我們也睡了。

「我很想再和伊莉莎貝見面。」我說：「我覺得她還有事要告訴我們。」貝琪也同意，我們直覺的知道我們的生命需要改變，卻不知道是什麼樣的改變，只知道我們將因伊莉莎貝的睿智而受益。

我們在一起十二年了。剛開始時，我們的關係充滿著激情，雖然有可觀的年齡差異——我二十，她二十八，但那並沒困擾我們。我們是成功的表演藝術者，隨著服務的公司巡迴世界各地，我們一起工作、旅行、經歷生活。除了一些不知由來的爭執，我們是融洽的伴侶，雖然偶爾會有極端痛苦而傷心的爭吵，但沒多久我們就會言歸於好，所以我們選擇去忽略這個「小」問題，把它當作是表現獨立個性的良好方式。直到第一個周年紀念日，我們開始注意到因為年齡不同而產生的不同需要，她想要小孩，而我才開始發現我的人生目標，壓根兒沒想過要傳宗接代。我們的個性也開始出現嚴重的摩擦，我喜歡冒險，貝琪卻寧願要熟悉和安全的感覺，我想轉換跑道，她則忠於她自小就選擇的藝術。我們各執己見，互不退讓，傷害了彼此的感情，工作和居住在一起使情形更加惡化；我們不能用保持距離來減輕每天彼此間的緊張，我們壓抑真實的感覺，用取悅對方來維持和平。我們也受困於「百年好合」的概念——覺得我們應該相愛直到死亡，所以我們的關係一定要成功，但是我們甚至對「成功」都有不同的定義。

苦撐了八年之後，我們從紐約搬到洛杉磯，貝琪意外的懷了我們第一個兒子：麥特。她的懷孕和麥特誕生的經驗是如此的美好，讓我們的關係變得緊密起來，緊張的暗流也由於為人父母的喜悅而緩和。但是當根本的問題再次浮現，我們像大家一樣，藉著專心照顧家庭而把問題掩蓋起來。當時我也忙著為所渴望的新事業而努力獲取新知，這還是我第一次有機會探索這條道路。

我們倆有不錯的收入，感情上卻不斷地掙扎，貝琪的朋友都在紐約，她想念他們，也懷念表演，而我則忙於表演和結交娛樂圈的新朋友。貝琪開始專心在她一直喜歡的教學上，但是大學授課的要求超乎她的想像，發表學術成果的壓力非常大。更複雜的是，我們又意外地懷了第二個孩子：亞歷克斯，他帶給了我們難以置信的喜悅，但是仍然無法消除我們之間令人沮喪的緊張，我們對做事情的方法總是持不同的意見，然而為了家庭，我們的關係必須融洽，所以我們拒絕面對問題。

第二次與伊莉莎貝諮詢時只有我們三個人，她讓我們見識到她的能耐。

「你們之間存在著激烈的競爭，你們有著不同的需求、不同的野心。你們兩個人都非常獨立，應該各自發展，停止阻礙對方。」

她一針見血地指出我們關係裡的所有問題，對於每天看到我們互動的人，這些問題顯而易見，但伊莉莎貝只見過我們兩面，就能像親眼目睹般，準確的說出我們的問題。貝琪和我仔細聆聽，伊莉莎貝明確的把我們不敢告訴對方的話說了出來，也指出了我們各自的長處，她認為如果我們分開發展，就更能發揮這些長處，她說出了我們心底的真實感覺，也打動了我們的心弦。我們都要求再次與她見面，但是伊莉莎貝建議我們分別見她。第二回會面結束了，雖然對我們關係的討論不太愉快，但是伊莉莎貝鼓勵我們要保持樂觀。

改變是好事。不要怕改變，要怕的是停滯和不愉快，那會造成更大的傷害。

這次回家的車上，彼此沉默。

在下星期和伊莉莎貝的個別會面中，她鼓勵我去實踐我的夢想，她談到我藏在書桌暗屜裡的想法和計劃，當她說的時候，我微笑著，她居然可以看到我的秘密抽屜，我感覺寬心和得意，因為有人能看到我的夢想並且鼓勵我去實踐它。

你投入這麼多心血在那些作品裡，爲什麼將它們藏起來？你要發表它們。

她指出我一直只為他人而活，卻忽略了自己，我所有的注意力都集中在營造一個美滿的家庭，一個非常好的目標，然而，我的原動力是什麼呢？

你一直試著彌補你成長時的不幸。

由於我父親暴躁易怒的脾氣，從小我的家老是烏雲籠罩。雖然有些其他的小狀況讓我們父子關係不睦(這就是伊莉莎貝第一次遇見我時提到的家庭秘密),但是他的充耳不聞才是問題的關鍵,對我們孩子和我母親而言,「家」是一個很糟的環境。伊莉莎貝讓我發覺我一直深受父親的影響,下意識的,我的時間和精力都用在要證明他是錯的,我要創造一個愉快的家庭來證明我比他強。同時我要用尊敬、耐心和體諒來對待女人。這些美德在我成長時我父親幾乎沒有做過。我完全的被我父親和他的「過去」所栓住。我如此的全神貫注,我沒時間思考我生命中真正的夢想,我甚至連旅途的第一步都還沒跨出,因為我還在想要糾正我父親帶給我的「過去」。現在,我該走自己的路了。

伊莉莎貝的話帶給了我一種久違的幸福感覺,一個熟悉的,但從未執行過的欲望又在我心裡重現:我要把這些都寫下來,我要重新開始那一直讓我喜樂的寫作。我生命的路途開始有了意義。

我和貝琪的關係跟我的父子關係非常相似——我們彼此競爭!這個發

現讓我驚訝無比，我要證明在夫妻間的關係中我是對的，正如同在我的父子關係中，我要證明我的父親是錯的一樣！這個方法明顯的失敗了，我必須和他們兩個保持些距離。

就在我這樣想的同時，伊莉莎貝接著我的想法說了下去：為了我們好，貝琪和我應該分開。

「分手最後對孩子們也是好事。你們倆有很多事要完成，但是你們的關係成了彼此的絆腳石。」

但是我怎麼能這樣對待貝琪和孩子？我們的父母和朋友會怎麼想？這個決定會帶來極大的傷害和痛苦。「你不覺得你的不誠實會更傷害他們？」伊莉莎貝問。

「你和孩子將永遠相繫，家人和朋友也會由失望中恢復。但是如果你繼續悶悶不樂，他們也不會快樂。」

這個建議讓我痛苦了好幾天。

我和貝琪都沒有分享和伊莉莎貝談話的細節，但是她看起來和我一樣的困擾。

貝琪其實心知肚明，一開始她就擔心有一天會走到這個地步，因爲她知道他們並不是眞的很配，但她又割捨不下這段感情，她以爲如果假裝問題不存在，一切就會如常。在生命裡，她無法接受任何失敗，所以她選擇自欺欺人。事實上呢?她和喬治一樣專注於她的事業，但是他們的方向完全相反——而這正是問題的核心。貝琪不能再跟著喬治的方向走了，她必須要回到她自己的路上，她原來一直都沒有發展自己的天賦。

我的建議讓她難以接受，它不是她計劃裡的一部分，但我不是來取悅她的，我是來激發出她生命中全部潛能的。

貝琪想了想我的話，然後問：

「我真的能夠獨當一面嗎?」

「會的。」我看到她事業有成。

「孩子們會沒事嗎？」

「我保證孩子們一生順利。」

我也看到他們還有別的事需要我的幫助，但是這件事我不能告訴貝琪。

貝琪回家後一直沉默，她不相信伊莉莎貝說的話嗎？貝琪不是一個會坦承錯誤的人，但是她的後續行為明顯的透露出她心裡的想法。

最後我提議好好地談談我們的關係，我們同意我們間的緊繃關係必須停止，我們成了彼此的阻礙，儘管彼此相愛卻又無法忍受對方。一陣沉默之後，我痛苦的說出伊莉莎貝的建議——以分居來檢視我們真正的關係。貝琪沈默無語，但她臉上滿是複雜的情緒——冷靜、迷茫和惱怒。但是我堅持主張改變。終於，雖然我們對情況的看法依舊分歧，我們決定試著分居。

我和貝琪像是從熟睡中被喚醒，時常處在驚嚇的狀態裡。一切都即將改變，為了要維持客觀的態度，我們需要保持一些距離，我隨即搬出我們的家。那是種痛苦中帶著解放的感覺，我終於踏出新的旅途中最困難的一步，至少我是這麼認為的。

之前沒有想到的許多因素讓我們開始猶豫：雖然憎恨競爭和吵嘴，卻也不想失去我們之間的熱情和熟悉的感覺；我們也必須克制著不去嫉妒和適應沒有安全感的日子，同時也對「未知的未來」充滿著恐懼；沒有了夫婦的身分，我們必須改掉我們從前「相互為伴」時養成的習慣；自由的感覺很好，但每天通常都是在混亂中度過，就像是掉了個胳膊，卻還能感覺到它的存在；還有跟別人約會的問題？我們的結合也許是一個糟糕的匹配，但我們的感情無法允許別人取代對方的位置。這些事情讓我們的心情一直煩亂，卻又找不到出口。

在這個混亂的期間，在東岸有人提供了我一個機會和一個知名的作家一起工作，伊莉莎貝鼓勵我前去赴任。

「你必須專注於你的夢想，致力於你的工作，當你成功之時，你的家庭也會受益。」

這像是個經過偽裝的祝福，幾千哩的分隔有助於改變我們一體的習慣，但與孩子們分離使我非常痛苦——無法看到他們每天成長，無法聆聽他們的願望和夢想，無法聽見他們笑聲。但是我必須盡快做出決定，我們反覆討論以後，貝琪決定她跟孩子們留在洛杉磯而我回紐約。我們把這當作是個分居的試驗。

貝琪努力地扮好「母親」和「大學老師」的角色。即使她有保姆幫忙，她仍然覺得我這個作父親的缺席，因此我只好固定飛回去探望他們。然而享受幾天的天倫之樂之後，我們不可避免地又要心碎道別，然後日夜忍受分離的煎熬。但是我們的情況的確有好轉，爭吵停止了，我們也不再是彼此的絆腳石，在許多方面我們的相處都改善了。在整個過程中我們與伊莉莎貝維持著聯繫，當我們努力改造我們的生活時，我們繼續尋求著她的指導。

「你與孩子相處時的質量跟以前大爲不同，現在你更專注於他們的幸福，而非專注於你自己不幸的過去。」

熬過了分離初期的沮喪後，貝琪開始專心發展她的事業。她一直想掌控自己事業的發展，現在她開始了。從前她會花心思在我的事業上——她後來也承認她太專心於我的事業——保持距離真的有幫助。她重拾失落的舊友，積極的建造她從小嚮往的生活。

我則專心轉換成為一個作家。許多寫作技巧需要學習，時間管理變得非常重要，我不但要負責家裡的財務，同時也必須成長。從前我每天得過且過，現在則分秒必爭，每個會議都要有結果。我放棄了原來的表演職業來到一個新的領域，因此格外努力工作。同時，我也開始實現早先的一個夢想——回學校進修，能夠重拾書本，我感到非常雀躍。伊莉莎貝引導著我，塑造一個我夢想中的未來，我也為了家庭而更加努力，事實上，我已經好多年從沒有這種活力充沛的感覺！我終於能夠專注在我最深層的渴望，那些已被歸到「不可能的」檔案裡的渴望。那是一段充滿著不確定卻又有著無窮希望的時光，那些希望給了我勇氣來面對許多突發的挑戰。

「挑戰是生命的一部分。現在，你是爲了自己的目標而努力，你不能再推卸責任了。」

★★★★★★★★

有一陣子，我聯繫不到伊莉莎貝，我聽朋友說她家裡出了事而無暇他顧，也沒人能跟她取得聯絡，我覺得很失落，我的領航員不見了！我發現我太過依賴伊莉莎貝了。在發現的那一刻，我決定不能再借助他人，我必須要掌握自己的生命。畢竟，做這些事的最終目的是要讓我能夠獨立。伊莉莎貝教過我，在生命中要真實、要堅強，我現在只有依靠她過去的諄諄教導了，雖然我還是擔心她的情況，但是這些憂慮很快的被一些突發事件掩蓋了過去。

一九九九年五月，貝琪和我分居超過了六年。她的生活煥然一新，她全心全意地投入她的教職和學校的行政管理上，這時她已是幾個全國教育計劃的主管，也是大學的終身教授。她和孩子們搬回紐約，對大家的生活都方便了許多，我則非常高興能與兒子們時常相處。

除了感情生活以外，貝琪非常快樂。她一直找不到一個能夠和她共度幸福餘生的人，所以她抓著我，不再是一個愛人，而是一個會一直守在她身邊的人。不幸的是，她認為我應該對她的感情現況負責。無論我怎麼指出我們的分居帶來多少好處，她仍然抱持著「我拋棄了她」的觀點。儘管有數不清的夜晚是在我們互相指責中結束，為了麥特和亞歷克斯，我們還是維持著聯繫，孩子們的幸福和成功是我們倆最重要的共同目標。

二〇〇一年八月，貝琪做了另外一個變動，為了孩子的教育，她特地找到一份新工作，是一個絕佳的機會，他們要從紐約搬到新罕布夏州。雖然再次兩地分離，但就整體而言，這似乎是個值得的犧牲。事實是，我沒有選擇，分居以來，貝琪有意的要獨立做所有的決定，她認為距離越遠，她越快能忘記我，她才能重獲新生。但我們的命運註定有事要發生——二○○二年五月的一個早上，十七歲的麥特打電話給我。

「媽媽要去醫院作檢查。」他說：「之後我會開車載她回家。」他的聲音聽起來很擔心。「她不能自己開車回家？聽起來很嚴重，讓我跟她說。」

貝琪則鎮定自若：「沒事啦，只不過是我腋下長了個東西，醫生要做切片檢查。」

這些已經夠了。我跳上車，從紐約開了五個小時到新罕布夏。雖然貝琪設法不表現出來，我知道她還是很高興看到我，要接受檢查，她還是蠻緊張的。

第二天，檢查結果出來，貝琪得了乳腺癌。聽著外科醫生解釋時，貝琪強忍著不出聲，我則全然麻木。我後來才瞭解診斷結果的嚴重性，當時對於這個險惡的疾病，我是一無所知。

我們開始研究這個疾病，問過的每個人，包括醫生，都非常樂觀。他們說只要接受適當的治療，病人的存活率很高。我們聽了都很欣慰，於是跟癌症醫師約定了時間，準備迎頭對抗這個病魔，我們相信她會痊癒。我說：「要不要我來幫妳，我可以離職，一直到你完成治療。」但是她拒絕了，「我沒事，你還是繼續工作比較好。」我堅持她和孩子有我的幫助會比較好，但貝琪寧願單獨抵抗病魔。她的語氣裡還是帶著怨恨，恨自己得了癌症，也怨我。我當初只是想讓我的生命重新出發，而她卻一直覺得她是個受害者，她似乎是以「拒絕我幫忙」來作為這八年來我離開她的懲罰。還好她的好朋友都勸她接受我的幫助。「我的朋友認為沒道理不接受你的幫忙，而我也的確需要幫忙，為了孩子好，你還是來吧。」

我通知我的經紀人暫時停止幫我安排工作，然後我搬到了新罕布夏州。

貝琪在化療的時候仍然繼續工作，化療的副作用讓她經常噁心、失眠、身體疼痛。雖然如此，貝琪照常辛勤工作，而且保持作息正常，她不希望別人知道她在接受治療，她害怕失去工作。除了幾個好友以外，她的病是個秘密。有三個月我們全家住在一起，團結對抗這個公敵。

二〇〇二年十二月，化療結束，醫生的診斷結果非常良好。我很開心，因為我們全家在一起慶祝了分開九年後的第一個聖誕節。但是，就在那時候，貝琪認為她已康復，她要我回去繼續過我的單身生活，「見到你就勾起我心中痛苦的回憶……我需要一個人靜靜，忘掉過去。」她要我離開她的房子，也離開她的生命。

2

二〇〇三年一月的一個上午，伊莉莎貝再次進入我的生命。對於她突然的出現，我是又喜又憂，她開了兩個小時的車不會只是專程來看我。「你怎麼了？」她問我，我沒留意她的嚴厲語氣，或許是因為最近我身邊沒發生什麼大事，許多壞事倒是發生在我親友身上，但我沒被波及所以無可抱怨，我完全沒察覺這些事對我影響之深，伊莉莎貝接著指出：「你不在你該在的地方。」我苦笑，以為她指的是我目前失業潦倒的狀況，住在一個小小的公寓裡，跟我住在比佛利山時的日子是天差地遠。但是我確信這是暫時的。現在貝琪的病情穩定，我有自信我會再次成功，畢竟那對我而言是駕輕就熟。伊莉莎貝憂慮的搖了搖頭。最近發生的事讓我麻木，我沒有意識到伊莉莎貝特地來看我，是因為她已經「看見」了發生在我身上的事，她也可能已經「看到」了我的未來。

我們已經兩年不見，然而在談話中，我沒告訴她我的事情，更沒提過貝琪的病，我忘了我不需要說她就知道一切。當時，我以為伊莉莎貝只是來把我從事業上的昏睡中喚醒。我們坐在客廳的長沙發上，伊莉莎貝說：

「你需要打起精神，來準備處理即將發生的事情。」

那段時間，我變得毫無激情而又軟弱不堪，我完全停止了寫作——它對我已經毫無意義。我覺得我個人價值空前低落，也許是因為有罪惡感，覺得我該為貝琪的現況負責，我不想見我行業裡的任何人，我不想把我的憂鬱和自疑傳染給別人。我處在一個嚴重的沮喪狀態中而毫不自知。

「你必須停止這些消極的念頭，就算不爲你自己，也要爲麥特和亞歷克斯著想，你必須做他們的模範。」

伊莉莎貝花了一個小時來提醒我的目標，幫我打氣，鼓勵我為我的生命奮鬥。當她認為我終於「醒了」並且願意改變我的沮喪態度的時候，她告訴我一件只有她能看到的事，而我對這事毫無準備。

「貝琪的病非常嚴重，她……不會好了。」

我張口結舌，周圍的一切變成了慢動作。沉默良久之後，我清清嗓子想開口，卻發不出聲音，只能用雙手緊抓胸口，我的心臟像是被猛擊過，她的預言太過震撼，讓我潸然淚下。伊莉莎貝等著我平靜下來。我問「我能做些什麼嗎？」

「不要感覺被擊敗了，要開始爲即將發生的事做準備。」

聽到她充滿力量和樂觀的鼓勵，我意識到我不能再讓這個壞消息影響我，它像流沙一樣拉著我下沉。

「要做好準備，在兒子需要你的時候才能堅強，你要把事情都安排好，不然你承受不了她走後的空虛，時間不多了。」

我感覺我要精神分裂了，雖然我相信伊莉莎貝，卻又希望這次她錯了，或許時間算錯了？也許貝琪真的會死於癌症，但會是很久以後，至少在她享受她締造的佳績以後？或許伊莉莎貝是要提醒我不可安於現狀？我抓了張紙巾抹掉我臉上的淚水。

「你可以讓她安詳的度過餘生，有時候當我們知道來日無多，我們能活得更好，愛得更眞。」

伊莉莎貝花了整個早上開導我，她說除非我恢復力量，她才會離開。最後我保證：我不會因為這個預言而頹喪無力，我會用樂觀的態度，盡力的去做我該做的事。伊莉莎貝離去之前，問了我一句話：

「你有在寫作嗎？」

「沒有用心的在寫……」我回答，為了沒有依照我們之前的默契而感到愧疚，伊莉莎貝沒追究下去，只說：

「記得多年前在洛杉磯，我說你和我會寫本書？時候到了，我們要開始了。」

她走後我回想她所說的話，我習慣在會面後寫下一切細節，但是這次我做不到，我太難過了，而且我也絕對不會忘記剛剛發生的任何細節。但是她的話一直在我腦裡回響——「你不在你該在的的方。」所以我逼自己記下所有的細節，包括我的感覺和思緒。

對於伊莉莎貝給我的訊息，我能怎麼做呢？伊莉莎貝會不會錯呢？我知道她有異能，但這是她第一次對我預言這麼可怕的事，最後，我勉強自己相信，如果它要發生，它會在很久以後。我繼續回想她的話：「就算不爲你自己，也要爲你的孩子著想。」孩子！我要怎麼告訴孩子？

3

麥特和亞歷克斯

二〇〇四年八月，伊莉莎貝來訪後的一年半。那時，貝琪的病沒有惡化，我則和伊莉莎貝一起努力寫書。當時貝琪在洛杉磯的一個專案裡工作，麥特和亞歷克斯放了暑假，所以來紐約看我。我從未對他們提到伊莉莎貝的預言，畢竟當時貝琪的情況良好，男孩們也重拾自信。他們舉手投足間都露出青少年少有的成熟，麥特現在十九歲，亞歷克斯十五，兄弟間一方面彼此競爭，一方面又互相愛護和尊敬，他們健康、英俊、樂觀，而且看起來很滿足，看不出來他們年輕的生命曾經受過打擊，或者他們的信心曾經被動搖過。

當時我們幾乎每天都在寫書，所以無可避免的，他們會遇見伊莉莎貝。我沒告訴孩子我們的這本書，他們也不知道任何關於伊莉莎貝的事情。有天我們談到伊莉莎貝，我說她是個好朋友，而且她有特異能力能「看到」大多數人看不到的事情。他們試著不取笑我：「你的意思是說像個靈媒？」然後他們像大多懷疑者一樣地問：「你真的相信那種事情？那些不都是胡說八道？」但和大多懷疑者一樣，他們雖然懷疑卻又想要滿足他們的好奇心。我一直在想要怎麼樣才能證明給他們看，一方面我也想知道孩子們的「方向」是否正確。我沒冀望伊莉莎貝會「讀」他們，因為我們太忙了，不過也沒關係，因為男孩們也沒想要被「讀」。但伊莉莎貝有她自己的做法，她跟他們好好地談了一次，事後我叫麥特和亞歷克斯寫下他們的感想。

麥特：「我以為她會是一個又老又孤僻，而且身材臃腫的女人，那種知道壞事要發生，結果不敢離開房子的人。我對遇見『靈媒』沒有興趣，我不想知道那些我不想聽的事。」

亞歷克斯：「我以為會遇見一個非常嚴肅和專心的人，她會一直瞪著眼『讀』你。我很意外，伊莉莎貝一點都不像那樣，她就像是個平常人。」

「再看到你們眞好！上次看到你，還是個小孩子呢！現在長得這麼英俊了！亞歷克斯長得就跟媽媽一樣！」尹莉莎貝高興地呵呵笑著。

亞歷克斯回憶：「她請我們進廚房，並且幫我們準備食物。明顯的，她很喜歡照顧人。我們坐在桌邊開始聊天。」

「我跟你們的父母很熟，他們是好人，而且非常愛你們兩個。」

她繼續說些寒暄的話和一些她觀察到的事，讓他們覺得被歡迎，也覺得舒適。他們聊到學校、夏天做的事，和暑假剩下的計劃。

然後她開始了，伊莉莎貝準確地描述了他們的個性，好像她是看著他們長大的姑姑，好像她每分鐘都在他們的身邊。

麥特後來寫下：「她提到了我們的生命和我們的個性，好像她認識我們了一輩子。好奇怪的感覺。」亞歷克斯：「我沒注意到她什麼時候開始『讀』我們的，很明顯的，她早就『知道』我們了。」

她轉向我說，「他們知道我是做什麼的嗎？」我點點頭。「很好，」她說。當人們「允許」她進入的時候，她的經驗通常都是愉快的。在幫助人們克服他們不知道的障礙之前，她需要得到許可。

她先專心看麥特。

「你肩負著重擔；它壓迫著你。在你身後，我看到一個人，他是以前的你。

但是經過了那個打擊以後，你的自信心受損，你對生命開始充滿了懷疑。現在，你必須變回到從前的那個樂觀進取、自信洋溢的年輕人。」麥特安靜地聽著。

麥特：「毫無疑問的，我認為伊莉莎貝是一個心地善良而又非常慷慨的人，但我不喜歡那樣被檢視。讚美的話當然好聽，我喜歡聽她鼓勵我，要我有成就；但另一方面，我又想自己去尋找答案。她很能激勵人，但是我的感覺有點不好，因為她說我在躲些什麼，可是我並不覺得我在躲什麼，也許她告訴我這些是要讓我多加檢視自己，可能她也是對的。因為我從未見過她，從她嘴裡聽見這些話，比從老友處聽到更讓我震驚。」

亞歷克斯：「她與麥特談話時，似乎知道什麼可以說，什麼不能說，我全神貫注地聽著，雖然有時稍微分心，但是我看得出，她說的事似乎碰觸到麥特的痛處。」

給了麥特一些事去思考後，伊莉莎貝轉移她的注意力到亞歷克斯身上，「你很累了。」她會心地笑著說，即使亞歷克斯看來一點都不疲倦，事實上，亞歷克斯是兩人之間比較聚精會神的，「沒關係，」她說：「但是我感覺你非常有精力！好像你一直在揮拳，揮拳！」我們都笑了。

亞歷克斯：「她用一個許多熟人都會同意的句子來形容我，我真不知道我該怎麼形容當時的感覺。但當她開始談論其他事情的時候，我知道她打算告訴我一些非常有用的消息。」

「你都準備好了，你要的是行動！」我知道她是在讚許亞歷克斯，但是她也真的觀察到一些深層的事。笑了笑，接下去說：「光是坐在你旁邊我就累了，你必須意識到這個力量，而用它來幫助那些比你不幸的人，你和其他人不同，你天生擁有這個力量，你必須學會瞭解其中的差異。你非常勇敢，但你不能用『大膽』來加深朋友對你的印象。」

聽到這話，男孩們和我互看了一眼，我們都知道她說的是對的，然後她對他們兩個一起說話：

「你們兩個很不同……，這是好事，你們一定要是最親密的朋友，沒人會比自己的血緣更親，你們永遠是連著的，有些小爭執很自然，但重要的是你們要瞭解如果有意外發生，只有你們兩個兄弟可以互相幫助。你們一定要記住這一點。」

麥特：「談話裡最難忍受的是，當我提到媽媽和亞歷克斯的時候，伊莉莎貝基本上說我們的關係可以更加緊密，或許我誤解了，但我不喜歡聽這些，因為我認為我們的關係已經進步許多了。」

「要停下所有無謂的爭執，你們認爲它們好玩，但這些爭執讓那些對你們有好印象的人深感困擾。」

她轉向了麥特：「你必須放下你肩負的重擔，你在擔心你的母親。」他輕微點頭同意，她能感受到他對母親的深情，這明顯的讓他感覺不安，但他似乎仍然允許她深入。

「你必須先幫自己，才能幫她，她特別擔心你。如果你想幫她，那麼你必須回到以前的你，也就是那個『我看見』在你背後的人。你必須採取行動，做出關於你生命的決定，這樣做才是幫助她，她必須知道如果她不在的時候你能自立；並且停止擔心你會看不見自己的路。你不離開她身邊因爲擔心她，但是你必須離開她，才能成爲她希望你成爲的人。」

她轉向了亞歷克斯。「你學會了不跟她爭論，那非常好！」亞歷克斯笑了，「我知道那是很難的，因爲你是個鬥士！你喜歡贏！那也是好事。但你跟她鬥，你是不會贏的，還好你體會到這點，她沒有你有的精力但她意志堅強……就像你一樣。就讓她贏吧，因爲她每天不僅爲她的健康奮鬥，也爲她的兒子的成功和幸福奮鬥。」

接著，或許是感覺到我的憂慮，她轉向我。我真擔心她會提到貝琪的病況。

伊莉莎貝吸了口氣，然後有力且毫不含糊的繼續說下去，「當我們有癌症這樣的疾病時……」（我的心臟猛抽了一下，就像她去年第一次跟我說同樣的話時一樣）「我們必須把它當作是個注重病人生命品質的機會。」她頓了一下，男孩子們面色凝重，他們不是像我一樣試著控制自己的情緒，就是在否認他們聽見的事情。

「不要想著死亡，要想的是怎麼活下去！平常我們不用心去關心我們所愛的人，因爲我們從沒想到時間在悄悄流逝，直到他們生了病，來日無多，我們才發現生命如此珍貴。我們要讓病人剩下的日子過得滿足和舒適，你們不可爭吵，因爲那會加重她的病情；也不要拖延要和她一起做的事，因爲不見得還會有機會。盡量讓她心境安寧，不是說你不能跟她爭辯，但是不要無理強辯。要有效率地運用時間。」

貝琪得了癌症以後，孩子爭吵不休。因為對癌症束手無策，這大概是他們發洩的方式，但是這讓貝琪的日子很難過。

「她爲了要活著照顧孩子，非常辛苦的想要克服癌症，但癌症也要在她身體裡快速的擴散。你們要讓她知道你們會上進，讓她不必擔心，她才會有信心康復。」

然後她像個母親般的說：

「當然，不論你們怎麼做，她還是會擔心。你們是她的兒子，她是爲你們而活，所以你們必須盡力讓她放心。」

這麼赤裸裸的把死亡的可能性在孩子們面前說出來，讓他們震驚無比，我可以感覺到麥特非常憤怒，雖然他盡力不表現出來。亞歷克斯也被嚇住了。他們有很多事情要好好的思考，但是伊莉莎貝已經將種子深植在他們心房。這個種子，會讓他們好好地去勾勒他們的未來。

伊莉莎貝很快的把房間裡的氣氛改變過來，她告訴亞歷克斯：「你會跟媽媽一起去旅行。」亞歷克斯又被嚇到了，她怎麼可能知道？只有我們三個人知道貝琪改變了假期的行程。

「這次旅行非常重要，你們會在那裡共度美好時光，你也會幫她處理一些公事，」她加重語氣，又帶點惡作劇的微笑，「但是，不要愛上遇到的那些迷人女孩！你會玩得很開心，但還是要好好用功！當你有這麼多事情要做的時候，你可不能心猿意馬。」

亞歷克斯後來回憶：「她說這會是個永生難忘的旅行，她說的是真的，那真是個美妙的旅行。」

伊莉莎貝把房間裡的悲傷轉變成了冒險和樂觀的氣氛。結束之前，她問孩子們有沒有任何問題，但是他們驚愕至極，只能禮貌的說謝謝，她溫和地笑著鼓勵他們，好像是說：

「好好過活！不要承受不必要的悲傷。」

4

孩子們不知道該怎麼看待這個我帶他們進入的奇異世界。「我不要知道未來。」麥特說。「那是不對的。」伊莉莎貝的預言讓他惱怒。另一方面，亞歷克斯卻聽進每句話。年輕的他樂觀天真的聽著，他不相信分居、疾病或劫難能把母親從他身邊帶走。但是無論他們怎麼不願相信，他們聽懂了伊莉莎貝話裡的信息。

那次會面以後，我們父子關係更加緊密，我們同心協力，要擊敗這個威脅我們家的病魔，我們深信我們會贏。作為家裡的男人，我們要好好的照顧貝琪，我們也常會莫名所以的擁抱一起，替彼此打氣。那時候我得到一個工作機會，雖然地點遠離貝琪他們，伊莉莎貝卻鼓勵我去上任，我實在不能接受，我不要遠離家園，到數百英哩外的地方工作。伊莉莎貝則保持著不同的看法：

「這個工作非常適合你，你會有穩定的收入，過一陣子你會需要這筆錢的。這個工作對你非常的重要，你以後會知道原因的。」

我和伊莉莎貝已經很熟了，知道她只告訴我「需要知道」的事情。幾年前我也曾懷疑過她，當時伊莉莎貝作了一個預言，結果卻和我想像的不一樣。當時，我有一個專業機會，它有可能改變我的生命，而我也有把握能做好它，然而，我還是想要聽到一個「它會進展順利」的保證，伊莉莎貝也告訴我發展會很好。起先，它的確進行順利，但是隨著計劃進行，我突然發現我做的每件事都遭到破壞。一個重要夥伴因為爭權奪利而背叛了我，不論我提出任何建議，他都拒絕跟我合作。我別無選擇，只好放棄，讓計劃能夠繼續進行。結果是所有的人玉石俱焚。這個計劃原本是可以成功的，但結果對我個人和我的事業卻造成極大的打擊。心灰意冷之下，我開始懷疑伊莉莎貝的能力，我不瞭解她為何不警告會有人背叛我。後來我才意識到，如果事先知道是這種結果，我的行為會大為不同，我不會投入所有的心血，當然也不可能學到我需要的知識。現在回想起來它是個更大的成功——一個成功的學習經驗，雖然不是我想像中的那種成功。

「從失敗中獲得教訓是生命的一部分。有時候我們從失敗中學到的遠比從成功中更多，如果你將失敗歸咎於他人，你也應該把成功歸功於他人。」

伊莉莎貝的教誨遠超過單純的防災避難，她通常都有深遠的用意，當她勸我丟下我關心的一切到幾千哩以外去的時候，我想起了她的智慧。於是我坐上飛機，前往一所位在中西部的大學，遠離我的家，遠離我心靈之所繫。

二〇〇五年的夏天，貝琪的病情稍有好轉，由於另一個工作上的升遷，她和男孩們又搬家了。這次他們從新罕布夏州搬到華盛頓特區。貝琪在事業上越來越成功，我的生活也進展順利。我在一所優秀的大學任教，同事的工作能力都很傑出，我也結交了許多新朋友。我常飛回東岸，先探望貝琪和孩子，再到紐約與伊莉莎貝一起工作。整個夏天，我在三個城市之間穿梭往返。

有一次，在我固定去華盛頓探望貝琪的時候，她說她要去醫院接受例行手術。「那個笨手術只會讓我很不舒服，」她說：「大概要一個小時。」那次我陪著她去醫院。

「手術的結果不會是你所希望的，」伊莉莎貝在電話裡警告我。她輕輕地提醒我，就像她在整個夏天裡所做的一樣。關於這種事她從來沒錯過，「你必須接受這註定要發生的事，她的日子不多了。」

那是一個蠻簡單的手術，只是要拿出貝琪腹部的一個纖維瘤，即使伊莉莎貝的話在我腦海裡不停地迴響，我還是樂觀的期待手術成功。當我們開車去醫院時，貝琪突然說她很緊張：「我知道我的身體不對勁，但這些醫生老是不相信我，我實在是受夠了。」在那時候，我可以輕易的說些鼓勵她的話，或者，說些讓她更傷心的話，比如說：我不相信她的直覺等等。但是，我只是淡淡地說：「希望他們能早點發現問題。」我親吻她的手，然後緊緊握著，我祈禱伊莉莎貝的預言晚點發生，我不願失去這個分享了我這麼多年生命經驗的人，更重要的是，我不希望她受苦。

一小時的手術變成了三個小時。當醫生終於出現，我注意到他不敢正視我的眼睛。他強作鎮靜地告訴我說，拿掉的卵巢看起來有癌症。他講話的時候眼睛看著地板，我碰了碰他的胳膊，讓他看著我。我說：「我知道這不是個好消息。」我的鎮靜使他感覺到我能夠承擔真相，「看起來癌細胞已經轉移到了肝臟，」他說。我的胸口一陣緊縮，我點點頭表示瞭解。他設法讓我樂觀點：「要做了所有的檢查以後才能確定。」我的心都碎了。我對他的辛苦和親切的態度表示感謝。他走開之前把手放在我的肩上安慰我，我點了點頭，收拾好東西，準備告訴麥特和亞歷克斯這個壞消息。開車去跟他們見面時，我心想，如果沒有伊莉莎貝事先給我的心理準備，在聽到這個消息時的剎那，我會怎麼反應？我一定會拒絕接受這個壞消息，並且會為了保護孩子們而掩藏真相，反而讓他們燃起虛假的希望，我會打電話給醫療界所有的朋友，尋找所有可能的治療或延長生命的方法。我會盡一切努力，就是不會為這場不可避免的離別做任何準備。但是伊莉莎貝要確定我不欺騙自己，她經常提醒我要好好地面對現實，但是我現在該對這兩個深愛母親的孩子說什麼呢？

那是個溫暖的夏夜，他們兩人在餐館裡等我。我們坐在室外，沒有別的顧客，我們有私密的空間。他們急著要聽有關媽媽的消息，我感覺得到他們都充滿著希望，但我也聽見伊莉莎貝的聲音：

「你必須用剩下的時間來讓貝琪知道，她走之後一切都將安好。」

「孩子們，消息不是很好。」他們滿懷希望的臉孔急遽下沉，但是他們還是要聽所有的細節。我把外科醫生的話據實以告，包括他話裡帶著的一絲希望。「但是，我認為我們必須做最壞的打算。」他們不要相信他們的母親會過世，雖然我不想讓他們失望，但是我還是得那麼說。他們也感覺得到我是在做最壞的打算。我們整晚都非常的沉默。

雖然如此，我們對抗病魔的意願並沒有消失。有人推薦了一位成功治癒過這種癌症的醫師，她給了貝琪一絲希望：「我有一個患者和你的情況相似，四年以後，她仍然活著。」但是從貝琪的眼裡，我看到她知道她的時日無多，但是四年總比沒有好，當她聽著醫生們給她的意見，我聽到伊莉莎貝的聲音：

「他們能延長她的生命，但是無法阻止她身體裡的東西蔓延。」

她專注於如何幫助貝琪平靜的走完最後一程。

貝琪用盡全力與病魔奮鬥，她的病情似乎再次穩定下來。我們在一起慶祝麥特的二十一歲生日，我設法維持著歡樂的氣氛，但是貝琪突然大發脾氣——癌症開始讓她神智不清，她對我有很多沒來由的憤怒。我們原本希望那會是一個愉快的假日，因為不知道它會不會是最後一個。但結果不如預期，我們能做的只是耐心的等待和接受。

兩天後，貝琪私下告訴我，她已經不存任何希望。如果我沒有「準備」，我大概會脫口說出一些「繼續加油」的話，醫生和朋友經常給貝琪這種善意的鼓勵，但是她幾乎已經無法承受了。相反的，我把她抱在懷裡，我們一起悲傷流淚，我告訴她我有多麼愛她，我願意做任何事來幫助她。她很感激我相信她的直覺，而不是像別人一樣否定她的感覺，她勇敢的接受她的命運，我們也該一樣。到了該堅強，該準備的時候了。

貝琪要麥特繼續上學，她知道他無法承受看到她日漸衰弱，雖然麥特很想陪伴在母親身邊，他還是同意去上學了。貝琪痛苦地看著麥特離開，但是她也非常高興他能在大學社區裡找到良師益友。她看到他走在正確的道路上，他也即將會長大成人。她知道她不用再為他擔心了。

亞歷克斯則離開了他喜歡的寄宿學校，搬來華盛頓與他母親同住。貝琪同意了，因爲她附近有間很好的學校。雖然入學的門檻很高，貝琪的一些好友還是幫忙把亞歷克斯安頓到這所新學校。除了亞歷克斯，他們沒有人知道貝琪病重垂危。

在聖誕節前的兩天，貝琪再次要我離開。我求她忘記過去的一切，求她允許我留下照顧她，但是她拒絕了。伊莉莎貝說：

「她無法忘記過去，但她『離去』的時候你會在她身邊。」

於是我回到紐約開始一個新的計劃，孩子們回學校繼續課業。這是貝琪的願望，也是伊莉莎貝的忠告。

我固定地打電話給貝琪。她的聖誕假日過得沒有那麼難受，但是，由於胃痛，她的除夕是在急診室裡度過的。兩個禮拜後，她又住進醫院。有天早上我打電話給她的時候，她的口氣特別冰冷：「醫生剛剛告訴我，我的器官一個接一個的在衰竭。我沒有多少時間了。」當她說著以後接著要發生的事情，我的眼淚開始流下。

「我怕我會受不了痛苦，但是他們保證我不會痛。我沉睡的時間會越來越長，直到我不再醒來。」

「我馬上過去。」我哽咽。

「不要，我的哥哥會來照顧我，我們會告訴你什麼時候過來。」她說。

掛上電話，我哭了整個早上。

三天後，一月二十九日的早晨，我接到麥特的電話，他哭著說：

「爸爸，你快過來，就是今天了。」

我用最快的速度趕到華盛頓，再次告訴貝琪我愛她，她感覺有些難受，要我抬起她，我抱起她，輕輕地把她放在枕頭上。她謝謝我，閉上了她的眼睛，她幾乎無法維持清醒。

「親愛的，安心的去吧。我們愛你，不要擔心，一切都會安好的。」

當她安靜離去的那一刻，我的淚水決堤泛濫。

我一直在想，如果沒有伊莉莎貝給我們的「準備」，事情的發展可能完全不同，幸虧有她，我們給了貝琪安詳的餘生和她最需要的保證——孩子們都能獨立——讓她能平靜地離去，晚上九點三十分，她在家人環繞中平靜地走了。貝琪如同預言所說的離去，享年五十八歲。

結語

葬禮是一個複雜的場合，充斥著正面和負面的情緒。伊莉莎貝也要我作好心理準備：

「許多人會冷眼看你，他們聽到過很多關於你的謠言，會期待你做些如謠言所說的事。無論發生什麼事，你不能爭吵，也不能憤怒。你是在那裡幫助你的孩子，他們現在只剩下你了。」

後來的確發生許多紛擾，然而由於我一直保持積極的態度，讓我能冷靜地觀察到許多人顯現出的善良人性。

伊莉莎貝對我的生命有著無比深遠的影響，她正確地預言了很多我生命中即將發生的複雜事件。我自認是個非常實際的人，但是沒有她的指導，我能如此妥善的處理這些複雜的事情嗎？我不這麼認為。

當貝琪因為久病纏身，不分青紅皂白地大發脾氣，我會耐心地安撫她嗎？伊莉莎貝預言我需要那份在紐約的工作機會，後來使得我在貝琪去世前能待在她身邊。沒有伊莉莎貝的勸告，我會接受那個工作嗎？由於伊莉莎貝幫我做出了所有複雜的決定，讓一切變得可以忍受，否則我可能就這樣陷入怨恨和消沉之中。那時候，我的心情非常沮喪，因為我對貝琪的病感到滿心愧疚，為什麼她必須受苦？再加上由於誤解和傳話不當，在葬禮時發生了些紛擾。還好伊莉莎貝讓我「準備」好了，我才能保持冷靜，也才能看到和感受到新朋舊友對貝琪的愛。上百位來賓前來致意和表達支持，我看到人類在災難時表現出的高尚情操，我看到個人的仁慈，還有整個社區的寬厚。參加葬禮的社區機構包括亞歷克斯的學校、當地的藝術團體，及一些仰慕貝琪之名而來的機構。來協助我們的人多到令人驚訝，直到今天他們仍然幫助著我們。我們感謝所有的這些人，特別是伊莉莎貝。

麥特的筆記

媽媽去世快一年了，我還是時常想起我與伊莉莎貝的第一次會面。我永遠不會忘記那天離開她房子時的憤怒和悲傷，雖然她沒有直接說出口，我知道即將有不好的事要發生在媽媽身上，而我拒絕接受。回想起來，那番話讓我很難受，但是她也給了我一生中最大的禮物。

遇見伊莉莎貝後我與母親的關係變得更加親密，所以她去世時我不覺得她是不快樂或者不被愛的。我們當然會爭吵，但是總會很快地和好，然後我們會擁抱良久來結束爭端。後來我和母親成為最好的朋友，這都要感謝伊莉莎貝。我刻意的一直告訴媽媽我愛她，盡力和她維持著最好的關係，她總會告訴我，她是多麼的以我們兄弟為傲，還說她不可能會有更好的兒子。我們在一起最後的那段時間所做的事是旁人想像不到的：我們笑、我們哭、我們都知道她瀕臨死亡，但是我們談笑如常，好像我們的生命從未被改變過。我覺得她很容易地轉移到生命的下一階段，而且她知道她不在時不需要擔心我們。事情這樣的結束，讓我不覺得有任何的遺憾，也因為這個經驗讓我能夠活得更完整。幸虧有伊莉莎貝，讓我在經過這樣可怕的事情之後還能成長，還能好好地活下去。我知道媽媽在一個美好的地方，我每天都感覺她就在我身邊，親吻我的面頰，握著我的手，在我耳邊輕聲說「我愛你」。

亞歷克斯的筆記

伊莉莎貝在我的成長過程中，總是在我身邊引導我度過許多痛苦、卻必經的道路，包括面對母親的癌症和死亡。在伊莉莎貝和我討論媽媽的病況時，我從沒想過她會真的「離開」，我樂觀地認為她夠堅強，必定能戰勝病魔。我無法相信「死亡」的可能性。

很不幸的，這是件無法改變的事，而伊莉莎貝早已預見死神的降臨，她特地要我們兄弟不要盡想著「死亡」，而應該盡力在有限的日子裡，對母親表達我們的愛，伊莉莎貝知道我們深愛母親，鼓勵我們有機會就讓母親知道。伊莉莎貝的忠告讓我意識到剩下的時間珍貴無比，放假的時候我總會陪在媽媽身邊，其餘時候則用電子郵件告訴媽媽我有多麼愛她。因為這樣親密的關係，我最後才能了無遺憾地接受她的「離開」。

這段時間裡，媽媽看了許多的醫生、經歷無數次的手術，但病情持續惡化，她也逐漸失去了希望。我們心裡都明白她的來日無多，所以我們非常珍惜聚在一起的時時刻刻。我永遠記得一月十四日那天放學後，我去醫院探望母親。我走入病房，她躺在病床上，臉上掛著平靜的微笑。她示意我在床邊坐下，我知道她想要說什麼，我只能在她的臂彎裡靜靜地哭泣。

和其他活在這種處境裡的人一樣，對我們家人來說，那是一段難捱的時光。但是在伊莉莎貝的引領下，我們在她身邊，陪她走完生命最後一段旅程。那一刻雖然哀傷，卻又非常美麗：因為我們心裡明白，彼此的愛將會永遠守護我們，那就足夠了；沒有遺憾，只有彼此永恆的愛。現在回想起來，第一次見到伊莉莎貝時，她告訴我的話，與我此刻的心境竟意外地貼切：愛無與倫比，甚至超越死亡——因為愛能持續，而死亡不能。愛是一個永恆持續的感覺。

謝謝妳，伊莉莎貝。

不要活在擔心災禍之中，即使災禍不受歡迎，它還是會時時造訪。要向它顯示你的力量，尊敬它，但不要忽略它。因爲當它離開時，它總將留下令人難忘和可貴的記憶。

「這個故事尚未結束，我對貝琪承諾過孩子們會一切順利，他們會的——我永遠遵守我的承諾。」

2.

Your Hidden Truth

海倫

你必須知道自己的價值。
如果，你讓別人控制你的生命，允許環境掌控你的未來，甚至相信命運由天註定——那麼你將承受他人替你決定的後果。
其實，你有能力選擇自己的道路，或好或壞，全掌握在自己手中。

一個深夜，我在家接到一位客戶海倫的電話。她音訊全無，幾乎有六個月了。從她的聲音我幾乎認不出是她，聲音帶著濃濃的鼻音，好像是哭過。我看看廚房裡的時鐘，在心裡計算與她居住城市的時差——她現在不在她的辦公室裡。通常晚上這時候她會在那裡的。我感覺她的精神狀態跟她所在的地方呈現著強烈的對比，這地方她帶我去過，是一個她可以恢復工作和生活壓力的地方，我只能看到這豪華所在的零星影像，因爲她的腦子裡正在思考著一個危險的想法。我知道那刻她痛苦的原因是她的男友，我以前也曾爲此警告過她。我也知道，在她的過去裡有一個「隱藏的眞相」，它將對他們產生巨大的衝擊。當時如果她聽了我的建議，這些預言將會有完全不同的結果。但海倫無視我的警告，她相信她的財力能夠克服任何事情。結果，她爲了這個決定付出了龐大的代價。打電話給我的那個晚上，所有的新愁舊恨，和因爲「眞相」終於被揭開而產生的巨大影響，全部衝擊在一起，讓她無法承受。

「抱歉打擾你了。」

「妳沒打擾我，海倫，我總是高興能聽到你的消息。」

她遲疑了一下。

「我……是來道歉的，並且，謝謝妳，遇見妳，是我這輩子裡最棒的事，妳和我父親是我生命中最重要的人。」

「妳怎麼了？告訴我怎麼回事？」

她沒有馬上回答。事實上，也不需要說，我已經知道她要做什麼了。

「我知道妳一直在幫我，但我總是固執得聽不進去，我讓你失望了。」

「海倫，你沒讓我失望。我們都要在生命中做出抉擇。妳只是做了你的選擇罷了。我不批評我的夥伴，我只是盡力幫助他們。」

海倫不是打電話來諮詢的，她要的是不同的幫助，她需要扶持，她快要崩潰了。海倫最近失去了有麻煩時唯一能依靠的人，在當下的情況裡，她已無人可靠。她終於面臨這一刻——她看到了當初輕率依賴財富的代價。

「我只是希望妳知道我愛你，我很抱歉沒聽妳的話，我感到慚愧萬分，在我走之前，我需要讓妳知道。」

她停下，喘了口氣。

「掛電話後，我會泡熱水澡，然後割腕，我不想再惹大家生氣了。」

我立即看到她生命中被她「觸怒」過的人，好像一本相簿，在我前面打開。在那一刻，我可以開導她，跟她解釋許多事，一些可能讓她理解她所在情況的事。但是，海倫太痛苦了，根本聽不進任何事情，她只希望痛苦馬上停止。而我從數百英哩外的家中，必須要阻止她將要做的事。

我認識海倫有幾年了。當初，一個朋友執意要我見她，「拜託妳，」我的朋友說：「她眞的需要妳的幫助。」

當我感到那份關心是如此懇切的時候，我總是無法拒絕。所以我同意見她。

海倫是一個三十出頭，非常美麗而又幹練的有錢女人，第一次見面時，她衣著簡樸。當她走進房間，我「讀」到的第一件事是她在六個月之後會生孩子。在她腦中懷孕是最重要的事，但是她想談談關於她先生的事。我讓她先說，我通常比較喜歡先告訴客戶們我「看見所讀」的事情，但我感覺這次情況特殊，需要不同的對待。

「我很擔心我的先生，他總是忙於工作。我們很久沒有好好地交談了，女兒也很少見到他。他把我的公司經營得有聲有色，但是，與其擁有世界上最大的公司，我寧可他多花點時間在家裡。我總覺得事情不對勁。」

我沒告訴她：她的憂慮是有根據的。

「我懷孕了，我不要孩子出生的時候沒有父親。」

「不要擔心，妳的孩子會有父親。妳非常迫切的想要有個兒子，我可以告訴妳，妳會有個兒子。」

「但是，我希望我的孩子有個時常陪伴他的父親。我要怎麼做呢？」

「在處理妳生命裡其他事情之前，妳必須生下妳的孩子。去吧，先把孩子生下來，之後，我們會解決妳其他問題的。」

海倫答應在孩子出生之後，立即再來見我。

那次見面後，我想到海倫成長的富裕環境，我看見她錦衣玉食，即使如此，那個環境中卻缺少了一個讓她能發展的重要因素。

儘管缺少了這個因素，海倫仍然成爲了一個聰明和有教養的女人，同時因爲她孜孜不倦，同學和老師都很敬重她。大學畢業後，她的父親給了她兩間公司和一大筆錢，但是，她和富裕的家庭背景，卻成了她在異性關係上最大的挑戰。她對追求她的男性總是缺乏安全感，他們是眞心追求她呢？還是在追求她的財富？這份不安和恐懼被背叛的感覺是難以言喻的，但是我知道在適當的時機，必須和海倫好好談談。

六個月後，海倫生了。她打電話給我。

「就像妳說的，我生了個男孩。」

她非常高興，海倫喜歡孩子。

「現在，妳可以告訴我妳『看見』的事情了。能請妳過來一趟嗎？」

我計劃在兩週內去她住的地方，但她堅持我立刻動身。當我到達才剛剛安頓下來，她要我馬上開始諮詢。

「我們先開車去兜兜風吧，」我提議，她對我的請求有些困惑，但還是照做了。當我們經過城市外圍的時候，我指著一座大辦公樓說：

「那棟大樓是妳的嗎？」我問。

「是的，」她的語氣充滿著驚訝。

「我們繼續開，」我說，時間一分一秒的過去，她的事我就「看」得越來越清晰。幾分鐘之後，我指著另一棟大樓。

「那邊那個大樓也是你的？」

「是的。」

「但是他們不允許妳進去，是吧？」

她驚訝無比，幾乎說不出話來。

「是的，」她勉強擠出聲音。

「太好了。現在，我們可以開始了。」

我們回到她家開始諮詢——這是我們許多諮詢裡的第一次。

「妳的先生是個聰明又有才華的人，他讓妳的公司賺了不少錢，同時……他也跟他的秘書有染。」

海倫漲紅了臉。

「妳應該不覺得意外，當妳來找我的時候妳已經感覺到不對。但是，他們在計劃比婚外情更糟糕的事——他們在密謀奪取妳的公司。」

海倫倒抽了一口氣。我知道她很痛苦，但是我必須趕快行動。

「妳必須把妳的公司要回來。」

「我沒辦法！」

「妳要讓他們搶走？」

海倫沈默。

「你必須把控制權拿回來！」

海倫對她先生的暴躁脾氣十分害怕，更重要是，她對先生的才華感到自慚形穢——她沒辦法讓公司的營運蒸蒸日上。同時，她也自認是個失敗的妻子和女人。她老是把注意力放在讓她軟弱的事情上，我必須要讓她集中精神反擊。

「妳將進入那個大樓拿回你的公司。」

海倫不知道該說什麼。

「妳不能讓一個婚姻誓言來阻擾正義，妳的婚姻早就結束了，我們不要浪費時間去追究原因，我們必須向前走，等到取回屬於我們的東西以後，我們再來回顧過去。不必爲收回屬於你的東西而感到良心不安。」

海倫的正義感開始浮現。

「妳也會離婚。」

海倫開始退縮了。

「他不會跟我離婚的，那會是我們家庭的一個恥辱，我的父親會氣死。」

我必須和她的父親好好談談。稍後，我再去想該怎麼處理他的部分。

「會有一個讓妳滿意的結局的。做每個步驟的時候，我都會跟妳解釋，妳願意爲取回屬於你的東西而戰鬥嗎？」

海倫同意了。

我們開始聯絡對海倫和她父親仍然忠心的員工，從她給我的名單裡，我挑出一些特定的名字。不久之後，她進入那棟她被禁止的大樓，很快地收回原本就屬於她的公司。她的先生完全沒有防備，因而非常的憤怒。但是，他是個聰明人，很快地就意識到我們掌握了許多對他不利的證據。他無計可施，只能妥協，他做夢也沒想到海倫會站出來挑戰他。

海倫終於登上屬於她的寶座。

「現在，我們必須要求離婚。」

「伊莉莎貝，他不會同意的。」

「他不但會同意，他還會答應任何關於孩子的條件。而且不管發生什麼事，他都會是一個好父親。」

「他為什麼會同意？」

「我們都會犯愚蠢的錯誤，海倫。他這次犯了一個代價昂貴的錯誤。但他不是傻瓜，他知道一切只能怪他自己不好。其實，他根本不應該是妳的先生，但那不表示他不愛他的孩子。要有信心，妳會看到的。」

海倫拿回了她的公司，她不再活在欺騙和陰謀之下。這個成功鼓舞了她，她重新有了活力，熱切的想要主導她的公司。

「我要妳擔任我的長期顧問。你改造了我。我現在知道，過去我在蹧蹋我的生命，我總是依賴別人。我要謝謝妳，請你留下來繼續跟我在一起。」

她還不能完全獨立。我同意，在探望久違的家人後再回來。

幾個月後，我回到那棟原本禁止海倫進入的大樓。海倫現在擔任執行長。我們該集中精神整頓她的公司了，我感覺有些仍然效忠她丈夫的員工正在對抗海倫，還有些人根本是在怠工，我們必須進行徹底的整頓。海倫安排我與大家面談，並且讓我全權決定誰去誰留。我同意了。

我的目標是讓這些不滿的員工清楚地感受到，離開對他們比較好，在不愉快的心態下工作，對他們的健康不好，對公司也不是好事。面談結束時，員工們擁抱我，感謝我，他們全都愉快地自願離開，除了一個人——大衛。他是海倫唯一堅持要留下的員工。

「不要給大衛壓力，好嗎？」

聽海倫說出他的名字，我的背脊突然感到一股寒意。

「他這幾年非常不順，虧光了所有的積蓄，而且負債累累。他的妻子也離開了他。他是一個好人，我只是想要幫助他，不要對他太苛刻，好嗎？」

「妳確定要這麼做？」

「是的。」

「妳會爲了留下這個人而付出昂貴的代價。這是妳想要的嗎？」

「我不介意損失一些金錢，我損失得起。我要幫他。」

「但是，妳願意爲了他失去一切？」

海倫笑了。

「伊莉莎貝！別説傻話了！我不會失去一切的。特別是有妳在我身邊。」

海倫再次倚仗著她的財力，做下一個明顯必敗的決定。

「妳執意要這麼做是妳自己的事情，但是記住我的話：如果妳追求這個人，妳就犯了一個極大的錯誤。」她沒有追求大衛，是大衛在追求她，而海倫享受被追的樂趣。

大衛是一個充滿吸引力的男性，靠著他的外表和魅力，他輕易地通過生命中的各種考驗。他沉迷於享樂、美酒、賭博和性愛，他認爲享樂比辛苦工作更重要。更糟的是，他根本不適任他在海倫公司中的工作。無法在工作上有所成就，讓他更加沉溺於他的享樂世界。

海倫是個有愛心的人，她深深的被「可憐的」大衛所吸引而不自覺，大衛刻意地花了很多功夫來博取她的同情，他利用每個機會來告訴她他多麼窮困，包括他和前妻間經歷的困難，他說他的前妻用金錢來懲罰他。大衛還告訴海倫說他金錢上有困難，並且形容他多麼的倒楣。他利用海倫的同情心和慷慨的本性來幫助他東山再起。作爲一個剛被丈夫背叛的失婚女人，另外一個大衛吸引海倫的原因是：大衛極需幫助，海倫肯定他不會背叛她。幫助大衛重新站起來也會帶給海倫極大的成就感。而大衛的回報就是跟她一起享樂，他們開始私下幽會。

這時候，海倫的父親與我聯絡，他聽說女兒和一個員工有了私情，他要求跟我見面。海倫的父親是一個了不起的人，他全心全意的愛著他的女兒。

「我非常感激妳為我女兒所做的一切，請妳繼續擔任她的顧問，費用多高都沒關係，我深愛我的女兒，我要幫助她。」

我花了很長時間「讀」他，然後，我開門見山地說：

「你沒有對我說實話。你稱她爲『我的女兒』，但你的妻子卻不是這樣稱呼她。」

他沉默著。

「你的妻子——在你家的這個女人，對待她就像是對待一個魔鬼。」

在他回答之前，他花了片刻鎮靜自己，然後說：

「事實的真相是：海倫是……我領養的。」

我感激他沒有試圖繼續欺騙我。

「我太太想要孩子，但是我們卻無法生育，我領養了這個孩子來試著讓她高興，但她的反應卻是憤怒，她懷疑那是我在外面生的孩子。無論我怎麼解釋她都不願意相信，她不要海倫。但我沒有打算把孩子送回去，我是一個言出必行的人。我領養了她，就沒有打算要逃避我的責任。我開始非常疼愛這個不幸的孩子，但我的太太還是一樣的冷漠。當海倫逐漸長大，我知道我必須為她做特別的安排。」

海倫的父親深深瞭解他太太的個性：他知道如果海倫留在家裡，他太太會讓全家人都不安寧。爲了家庭和睦，他決定送海倫到寄宿學校。海倫因此心中一直感到那份疏離和冷漠，即使她勇敢的不表現出來。

當他說話的時候，我一邊想著：有時候父母中的一個有這樣強烈的怨氣，最好是送孩子離開。但事實上，有一天孩子終究會去尋求那份沒能從父母身上得到的愛和關懷。

「我會幫助海倫，」我告訴他：「因爲她需要幫助。但是，你也必須盡到你的責任：當她犯錯或做壞事的時候，不可以縱容她，你必須要設限，否則她永遠學不到教訓。」

「我會盡力而為。」

他眞正的看法是：海倫需要從她自己的錯誤中學到教訓。不幸的是，由於他妻子的行爲，他對海倫有一份歉疚，所以他總會保護海倫，在金錢或工作上出問題時，他總會當她的支柱。他的用心良苦，但是這樣做，無法給海倫眞正需要的教導。海倫需要父母的愛——尤其是從一對能教小孩分辨是非對錯的父母。海倫的父親回去了，但我知道他很快就會再度跟我聯絡。幾個月以後，海倫的父親又打電話給我。

「不好意思，因為這樣的事來麻煩您……，我的朋友告訴我海倫賭得很凶，說她輸了很多錢。我知道會造成這個情況我也有責任。但是，我不想自己出面制止她，我不願意讓她尷尬，妳能幫我嗎？」

我注意到，他沒提到跟海倫形影不離的大衛，礙於面子，他不願意承認這段秘密戀情。我立刻搭飛機到拉斯維加斯，找到海倫的時候，她僵硬地坐在賭桌上，輸得都麻痺了。我感覺到她非常痛苦，她看起來像一尊穿著昂貴香奈兒服裝的木偶。當我「進入」了她的腦裡，我感覺到一個賭徒的感受。

「下一把一定會贏，我的運氣就要來了。」

但是，她待在那裡不只是因爲輸錢。她好面子，不想輸著下桌，她在想：

「我有錢有勢，我不能灰頭土臉地離開。」

我輕輕地碰碰她的肩膀，她見到我，並沒有露出驚訝的神情，好像是她正在祈禱著我的出現。

「大衛呢？」

「我不知道他在哪裡，我們大吵了一架，他應該是去了另外一個賭場。」

我知道是大衛帶她來這個地方的。他不但讓她的公司虧錢，現在又幫她輸掉她的家產，「我們該走了，」我說。

「我……還不能走，讓我再玩一把，」她結結巴巴地說。

我決定再等一下。我看著她玩，她豪邁地下注，賭得像是一個贏錢的人。但那註定不是她的角色，她又輸了。

「你不覺得夠了嗎？」

她定定地看著我，眼神好像在說：我一定會贏的。

「再一把就好。」

我本來是要她自己停止，但是我確定她不能控制自己了，終於，我感覺到她要我把她拉走，所以我伸手握住她的胳膊：

「我們該走了。」

她拿起剩下的籌碼，我們離開了。海倫覺得很丟臉，但還是跟著我走進旅館的電梯。

海倫按了到頂樓的按鈕，那層樓滿是專爲賭場豪客提供的豪華套房，她腦裡在想：爲什麼一個眞正的有錢人會在意輸錢？一個眞正的有錢人知道怎麼贏回來。

當我們回到她的套房，海倫開始歇斯底里地尖叫。

我靜靜地說：「雖然你輸了一大筆錢，但是，我認爲今晚最重要的是我們救了你。」

海倫打電話到樓下賭場問她究竟欠了多少錢，我看著她在旅館信紙上寫下的數字——將近百萬美元。掛掉電話後她痛苦地尖叫。我去浴室爲她準備了熱水澡。在浴室裡，她繼續痛苦羞辱地尖叫。最後海倫用盡了她所有的力氣，沉沉睡去。我看著她睡著，我看到的是一個小女孩，我想知道爲什麼她聰明的父親不知道阻止她賭博是多麼的重要，他放任她賭，結果她迷上贏錢的刺激。即使知道這是一個不正當的嗜好，他仍然支持她，想讓她高興。就是因爲有他的支持，海倫相信自己一定是個贏家。海倫的父親給了她許多東西，但他沒有給她在世界上生存所需要的基本工具——要對自己的行爲負責，也就是要承擔自己行爲帶來的一切後果。

那天，她發現自己是個上了癮的賭徒，她沉迷於享樂中不能自拔，就像她對所選擇的男人一樣。她也發現她不可能控制生命中的一切，特別是她最害怕的事情——被遺棄。

「我們離開這裡，以後也不要再回來。」她保證她的爛賭和壞運已經是過去式，但不幸的是，以後發生的事證明這不是結束，只是一連串悲劇的開始。

我設法要海倫對一件在她精神、情感和金錢上會產生巨大衝擊的事情做準備——我知道她的父親將過世，她不願意聽，也不相信。結果海倫的父親在幾星期之內過世。她不僅失去了生命中的守護者，也失去了一個願意無條件愛她的人。但是，這只是她情緒崩潰的開始。宣讀他的遺囑時，海倫發現她是被領養的。

海倫徹底崩潰了，她相信的關於她的一切，突然間變成了謊言。她父親的成功特質並沒有遺傳給她。在海倫的腦海裡，她不再相信自己會註定像她父親一樣的成功。反而，她發現她的親生父母是一對只知酗酒，一事無成，整天放蕩度日的失敗者，而她是他們生的孩子，海倫選擇相信後者才是她的命運。所有的機會，完整的教育，以前的成就突然間變得毫無意義。她現在選擇相信她的命運是「失敗」。她突然清楚地瞭解了：爲什麼她稱作「母親」的女人從沒接受過她。海倫的整個身分開始瓦解。但她眞正的母親呢？她爲什麼拋棄她？這些問題海倫反而決定不值得追究。

海倫的父親把所有的財產都留給他的太太。當他活著的時候，曾給了海倫大筆的金錢，但是，海倫已經揮霍光了其中絕大部分。更糟的是，我預言的那位將爲她帶來毀滅的浪漫夥件大衛，還一直留在她身邊。她花光所有的財產來維持他的嗜好。大衛從未掌握過自己的生命，現在，他成功的把海倫拖下到與他相同的層次。

海倫的「母親」不願意供養他們揮霍的嗜好，也不願意幫助海倫的男人。海倫必須用她繼承的少許餘款，湊合著過日子。家庭生活開始充滿了爭吵。最後的最後，海倫得到的是爭吵、酗酒和消沉。海倫就是在這個恐懼無助的狀態下打電話給我，跟我道別。

「伊莉莎貝，我必須掛電話了。」

「不行，不行，妳不能就這樣把我丟在這裡。告訴我到底發生了什麼事。」

突然，我的電話有插播打斷了我們的談話。

「海倫，我必須接這通電話。答應我，不要掛電話。」

「該説的我都説了。」

「求求妳，海倫！如果妳眞的那麼愛我，至少等我一下。」

她沒反應，插播的聲音再度響起。

「海倫！我必須接這個電話，可能是我兒子打來的。」

她知道我的兒子有著嚴重的健康問題。

「我等妳。」

我迅速地換線，告訴打來的人稍候。接著，我一把抓起身旁的手機。正要撥號時，我先生剛巧走進來。

「彼得！快，用我的手機，聯絡休斯頓警察局。」

我迅速跟他説明大致情況，他立刻撥號。我切換回到海倫的線上。

「再給我一分鐘，我兒子需要我的幫助，請千萬不要掛電話。」

我接過彼得遞給我的手機，彼得已經成功地聯絡上了休斯頓警方。

「我們很高興協助妳，但是休斯頓有太多旅館。請設法問出她在哪個旅館，再立刻通知我們。」

我不知道我在想什麼，剛才的情況讓我有點慌亂。現在我必須使海倫鎮定下來，集中精神在她的房間上，我才能辨認她的所在地。我再次切換電話線路，另一頭，海倫疲倦的聲音傳來：

「無止境的付出讓我筋疲力盡，我真的好累。」

「容我說一句：那是因爲你給錯了對象！」

「我真的好累，我愛得好辛苦。」

「那是因爲妳愛錯了人！妳可以擁有更美好的人生，但是妳必須立刻停止妳腦中的可怕念頭！我們以前討論過的。」

「我很感激妳。但是我已經用盡最後一絲力氣。我沒辦法重新開始了。」

「海倫，跟我一起禱告好嗎？我們一起經歷了這麼多風風雨雨，至少爲我做這件事。」

她同意了。我開始背誦主禱文，她的頭腦稍微平靜一些，在那片刻，我「看到」她的房間：桌上散落著藥片，還有一把剃鬍刀，牆壁上有鏡子，窗外可看到……美麗的景色。當禱告完我說：

「妳爲什麼選擇我最喜歡的旅館呢？」

「因為它讓我想起過往的快樂時光，我想要在一個充滿妳和我愉快回憶的地方，靜靜地離開。所以我特地打這通電話給妳。」

「旅館的名字是什麼？」

「妳說什麼？」

她立刻起了疑心。

「妳知道我不會告訴妳的。」

來不及了，當她想到旅館名字的瞬間，不需要開口，我也知道了。

「海倫，另外一通電話又響了，能不能再等一下？我必須接電話。」

她非常懷疑，但還是同意了。我立刻接上休斯頓警方，並且告訴他們旅館的名字和地址，還有海倫的房間號碼。警察局的接線生顯得相當懷疑。

「如果她真的想要自殺，為什麼她要告訴妳她在哪裡？」

「事情緊急，沒時間解釋『爲什麼』了。」請盡快趕去，她是非常認眞的。」

我掛掉了與警察的電話，再次回到海倫所在的電話線上。

「謝謝妳等我。」

「妳的兒子還好吧？」

「現在好多了。」

「我要走了。」

「等等，想想我們一起經歷了這麼多，現在妳仍然可以過好日子的，這樣草率結束生命，太可惜了。」

「我不要再被傷害了，讓我自己結束這一切吧。」

「海倫！不可以，這樣子並不能停止妳的痛苦，想想那愛妳的父親，他現在正在看著妳，他不會希望妳這麼做的。」

「他不是我的父親。我的生父對我漠不關心。」

「一個疼你，視你如己出，願意不求回報地爲你犧牲一切，從不拋棄妳的人，才是妳的父親。他是那個眞正關心妳，要妳好好活下去的人。」

電話那端一陣靜默，突然，我聽到有人在敲她的門。海倫緊張起來，

「伊莉莎貝，等一下。」

她應了門，下一刻，電話上傳來陌生的聲音：

「我們是警察，我們已經掌控了情況，謝謝妳。」

★★★★★★★

那天，海倫沒有自殺成功。但是，有時候，我們雖然活著，每天卻如同行屍走肉，不知爲何而活，生命可以漫無目的地虛擲，也可以活出精彩的自我，端看我們如何抉擇。海倫繼續和大衛在一起，有一次我旅行到她居住的城市，碰巧遇

見她。海倫已不再富有，我知道他們住在一棟窄小而簡單的公寓裡，遠不如她曾經有過的豪華生活。大衛趕來跟我們見面。

「妳看，」他驕傲地說：「妳說我們不會持久，但是我們還是在一起。」

「是的，大衛，我看見了。你贏了。」

「這跟輸贏沒有關係。」

「你，尤其是你，應該瞭解我的意思。」

「我們互相扶持，過得非常幸福。」

「那才是最重要的，不是嗎？」

我祝福他們，然後道別。

我看著他們開著他們的小車子離開——不再是大型禮車。我知道海倫感覺跟大衛在一起很舒適，但是在她的心裡也很清楚：如果她能夠好好掌握她自己的生命，而不是去依靠一個連自己的生命都不知該如何處理的人，她將有截然不同的人生。無論如何，這是海倫自己的選擇，她必須爲此負責。然而，她放棄了對自己的責任，那才是眞正的寂寞。

但是這個故事還沒結束，海倫和我將再次見面，即使她沒看過這本書，她還是有機會擁有更好的未來。

3.

Your Hidden Truth

維克多

不要自己擊敗自己，
因爲致命的感染會由內部發生。
內心無法平安就等於死亡；
雖生猶死。
如果囿於環境而達不到我們想要的目標，
我們就必須釋放自己，
去找尋生命眞正的意義。

每個人都有秘密。我的客戶在諮詢結束後，總是帶著驚訝和欣喜交織的心情離開，因爲我會指出他們內心深處的秘密。這些秘密可能是久已遺忘的夢想、憧憬、渴望，或被羞辱的經驗，甚至是上述所有的組合。若心中藏有這些秘密，通常無法感覺生命的圓滿。我很難過這些人對未來感到絕望，卻渾然不覺「改變」的鑰匙就握在自己的手中。

我在等維克多，他應該隨時會到。幾個星期前，我在紐約的一個飯店裡對六百多人演講，會後一位女士來找我。她表示一個朋友有很大的麻煩，希望我能和他談談。她愛他，認爲他需要引導，但是他已纏身於另一段親密關係之中，我答應見他，想要發掘他的故事。但我沒告訴那位女士：她的愛和付出，終將是一場空。

在等維克多的時候，一股強大的衝動，促使我走到那扇能夠俯視車道的落地窗前。維克多準時抵達了。他是一個成功的商人，擁有所有成功帶來的表象——財富、力量，和自信。看著他走出豪華轎車，我立刻明白爲什麼我必須要站在窗口，我看到的維克多，完全沒有一個他表面上應該有的「成功者」的姿態。他精疲力盡、萎靡不振，好像剛經歷過一場苦戰。雖然仗已經打完了，但是他仍然無法恢復，他低垂著頭，手臂無力下垂身旁——他無法擺脫他過去的陰影。

我看著他走近屋子，同時也「看到」了他的過去、現在和未來——他是三個不同的人。

走到門口的時候，維克多刻意地挺起胸膛，並拉挺昂貴的西裝外套和袖子，好讓他看起來合乎他應有的身分，他要以「成功者」的形象來見我。

他按了門鈴。我打開門，「看到」的是「未來」的他，他看起來煥然一新，臉上帶著經歷長途跋涉，最後終於抵達目的地的輕鬆微笑，期待著未來會帶來的東西。在這次可能帶來希望的會面之前，他已經虛度了許多沮喪的歲月。

我知道我必須要記住這幾個不同的個體。

我馬上看出，維克多是一個需要相信自己才會有力量的人。見到他我特別興奮，因爲我「看見」他光明的未來。在他身上我還「感覺」到希望，他的情形可能會好轉的希望，對於過去，他已心灰意冷。但是他相信自己現在的一些事可能會好轉。他是一個善良的人，但卻活在謊言之中，他的現況都不是緣自於他自己的決定，而是由於別人爲他做的決定，他做的一切都是爲了成就他人的願望。

他外表光鮮，卻熱情不再；他結了婚，卻娶錯了人；他事業成功，但那不是他想做的行業；他賺進大筆的財富，卻沒有時間也不相信會有時間享用；他有棟豪宅，卻只住在其中的一個小房間裡。

維克多的妻子比他大許多歲，是他的生意合夥人。她幫他建立起事業，所以他覺得必須要和她結婚，維克多對她充滿尊敬和感謝，但從未愛過她。這段婚姻能夠持續，只是因爲維克多的「虧欠」。維克多在生命中做出太多的「妥協」。

當我「讀」他的時候，我不停地問自己：如果你從未承諾要給自己幸福，你怎麼能承諾要給別人幸福？爲什麼我們不對自己做承諾？如果你沒瞭解過自己的需求，又怎能知道別人的需求？

到現在爲止我們一語未發。然後諮詢開始了。維克多先講到他的房子、背景，和他及家裡的一些事。他說，他和妻子間的關係由非常親密而變得疏遠，他說他已經不記得在生命中追求的是什麼了。他滔滔不絕地講了至少半小時。

有時候，我們必須評估生命的現狀，清點所有的承諾，看看你是否在實現它們。我們必須不斷地評估，然後更新。

「維克多，你必須結束你的婚姻。」

我的話讓他大吃一驚。那是他內心的願望，他眞高興有人把它講了出來。

「你們的婚姻稱不上是婚姻，你們不是因爲感情或瞭解而結合的，你們沒有每天用愛和寧靜來維持這個婚姻，你們沒有互相扶持和互相交流，你們不能只需目光相接就能瞭解彼此的需要和感覺，你們一項都沒有做到。我很抱歉。

他無法承受這個眞相。

「你心中的痛苦，我感同身受。這段婚姻已經浪費你們彼此太多時間，它將很快地畫上句點。」

他驚訝得說不出話來。終於，他試著說出來。

「我想要相信你說的話，但是我的婚姻持續了這麼久，我不敢相信它會有結束的一天。」

「維克多，我們講的是你的『生命』，你的這個狀態已經持續很長的時間了，在這段時間裡，你從未眞正的活過。」

這是個他無法否認的事實。

「如果你知道生命中的每件事都無可避免的會結束，爲什麼你不相信新的事情會開始？怎麼你從未意識到、覺悟到，我們必須開始眞正的活著。」

他換了個舒適的姿勢坐著，仔細地觀察著我。他眞心地想瞭解如何能改變自己的生命。

「首先，把你的生意賣了，你必須撤出那個行業。」

「這是我日夜祈求的渴望。」他幾乎不敢相信我說的話。

「讓這些成爲你的過去。」

他又說不出話來了。

「我們不要再拘泥於從前，讓我們專注到未來。」

他無法看見未來，但我可以。所以我必須告訴他我看到的東西，好讓他相信。

「不但你會賣掉你的生意，我還會告訴你該賣給誰，什麼時候賣，要賣多少錢。」

他一下子無法接受這麼多，但是他深切地想相信我說的一切。我喜歡他所表達的希望和謝意，我終於「感覺」到他散發的積極能量。

「請仔細地告訴我，該怎麼做才能再活一次，這是我的夢想，我知道我已經不想這樣繼續下去，我什麼時候可以開始？」

「就在這幾個月，」我說，我「感覺」到他準備改變他的生命，但他還不是全然的信服。

「這怎麼可能？」

「你花了一輩子才意識到自己沒眞的活著？現在知道了，就不要再猶豫。鼓起勇氣向前走吧！你必須要掌控自己的生命！你準備好了嗎？不要害怕，你是爲了你自己，爲了你的生命和你的幸福而奮鬥，爲了要你的餘生過得最好而奮鬥。

「但是我必須負擔家裡的開銷。」

「你的財務狀況不會有問題，離婚要花一大筆錢，沒那麼簡單的。」

當我提到「離婚」這兩個字的時候，維克多如釋重負，突然覺得全身輕鬆起來，他開始相信我看到的遠景。

諮詢結束了，我可以「感覺」到他的興奮。他向我道謝，並問我何時可以再次見面。

「很快。」

他的臉上充滿喜悅。

「我不介意我還要回去辛勤工作，我不介意——因爲我知道這一切最後終將結束。」

他帶著輕快的步伐離開。我也衷心地替他感到高興。

並不是每個諮詢都如此圓滿。維克多的結果令人滿意，是因爲他的心胸開放，也願意接受我的幫助。

現在，維克多成爲一個長於思考的人。他相信生命中的任何事都可以改變，更相信生命中充滿著一個又一個的奇蹟。

「幸福」不是別人的贈予，必須要相信我們應該得到它，如果沒有幸福，就必須全力去找尋。

「幸福」不是取決於擁有的財富，而是取決於是否知道我們的眞我和自覺良好。

「幸福」不是根據你房子的大小，特別是當你只用其中的一個小房間來容身。

「幸福」將離你而去——如果你身邊沒有一個良伴分享你每天的感覺。

生命的目標應該是，在最後，在非常辛勤的工作以後，你發現生活簡單而平安，而所有的事情都適得其所。生命開始的時候，就像是一個空瓶子，要怎麼塡滿它是我們自己的決定，我們以希望、夢想，和願望來塡充它——那就是生命的目的。

過去，維克多需要一個機會來改變他的生命，他得到了那個機會。他也需要誠實地面對他的伴侶，讓她也能找到新的開始。現在維克多也學會如何應付那些只知批評、卻毫不在意他會有多痛苦的人們。他決定開始築夢，並且採取行動來實現那些夢想。

維克多搬離他的豪宅，也放棄了他的豪華名車。現在他住在一棟小公寓裡，認識了一些新朋友，每天悠閒度日。維克多終於找到了自己，他現在看著鏡子，可以喜歡鏡中的自己。維克多會找時間冥想他的生命，這是他以前沒有做過的事，他喜歡感受他的情緒；幸福、憂傷和寂寞，這些都是日常生活的一部分，但是這些都是「他自己的」情緒。他現在不是爲了「對別人的責任」而活，而是爲著「自己」而活，他比從前快樂多了。

4.

Your Hidden Truth

約翰

「活著」本身就是一條艱辛的道路，
遑論還背負著兩個截然不同的生命？
誠實地面對眞我，
因爲所有的人都會有安身立命的所在。

約翰來自美國的中心——中西部，他執教的大學裡的學生把我推薦給他。在通電話時，我「感覺」到他是一個非常特別，非常善良的人。我知道他肩負著感情重擔。對於即將和我見面，他非常興奮，但更多的是緊張和不安。

那一天，大雪繽紛。我坐在旅館裡，望著窗外片片飛雪。我知道，在這種天氣裡來諮詢的人一定非常特別。我的電話響了，是約翰來赴約了。

過了一會兒，門上響起了堅定的敲門聲，節奏卻十分謹慎。

一位年近四十的男士走了進來，我立刻「感覺」到約翰是個極端聰明的人。他卓越出群，舉止優雅，有著發亮的藍眼睛和黑髮，以及如克里斯多夫．李維（電影「超人」的演員）般深邃的輪廓，我注意到他戴著結婚戒指，但是他的長相裡有些東西引起我的興趣。我們打了招呼後，約翰脫下他的雨衣和馬靴，他穿了件前面有口袋的寬大毛衣，一隻手緊插在口袋裡。

「我差點來不了！」他笑著說。

「那就像是你，約翰，」我回答：「你這輩子經常這樣。」聽到我答非所問的說法，他有些訝異，但是決定不追問下去。他不知道諮詢已經開始了。

「我需要先說什麼嗎？」他問。

「不用，你不必說任何事情，但是你可以問些關於我的事。」

「我自己也驚訝自己會來看你，那位推薦你的朋友對我一無所知，呃……也許稍有所悉。但現在妳卻說我不須告訴妳任何關於我的事情。」

「問吧！」

「問什麼呢？」

「問我任何問題，只要它能讓你安心與我相處，也讓你對我的能力放心。」

他想了想，然後說：「我只想要問你，爲什麼生命裡充滿著渴望？」

「如果生命中沒有渴望，我們就沒有繼續生存的意願，喪失渴望就等於失去一切。」

他思考片刻然後小心地問下去：

「在生命的任何一個階段都有渴望是合理的嗎？即使生命似乎完美了，夢想似乎唾手可得？」

「渴望是生命的一部分，遵從它而活是很重要的。」

這個答覆讓他困惑，他也不瞭解我諮詢的方式。如前所說，諮詢早在他進門時就已經開始了。他的腦中有個「這種事」該怎麼做的刻板印象。

「我該告訴你些什麼嗎？我要寫些什麼嗎？」

「什麼都不用。」

當我看著約翰，一個複雜的圖畫開始拼湊成形。在他身後，我「看到」一個女人。讓我解釋一下：雖然是種「感覺」，但我是眞的可以「看到」她。這個女人緊挨著約翰進來。

「你似乎有個形影不離的女伴。」

他試著理所當然地說：

「是啊，我結婚了。」

「不是的，她不是你的妻子。」

他想給我一個合理的答覆。

「最近我摯愛的伯母過世了。」

「也不是，她不是你的伯母。」

他稍停片刻，想看我到底要說什麼。

「請繼續，不要停，」他要我說下去。

我站起身來，繞著他走了幾圈，設法瞭解我「看到」的影像，還有我爲什麼會「看到」這些影像。我問自己，爲什麼一個看起來熱愛生命的人，會問我關於渴望的問題？

從一個角度我「看到」憤怒，從另一個角度我「看到」恐懼，而當我直接面對他，我「看到」困惑，我不知道該怎麼解釋。讓我驚異的是：約翰進來時是個不同的人，卻在我的眼前，開始蛻變成另一個人。

「請以你的先知開啓我，」他熱切地請求。

我微笑。「我會啓發你的。」

「我會談談你的妻子、兒子和你的事業。」

「還有別的嗎？」

「我也會講到『你』，和我『看到』的所有事情——每次我設法專心『讀』你，眼前就會浮現一個影像。」

「是我的兒子嗎？」

「不是，不是你的兒子。他似乎過得很好，看起來很有自信，也似乎知道他眞正的目標，他似乎一直……凡事都能遂心所願。」

「我的兒子很特別，當然，我認識的大多數父母都認為他們的孩子與眾不同。」

「你的兒子的確很特別。他不只能擁有從你那得到的愛，還有其他的……」

「你說的『其他的』是什麼意思？」他問。

「你愛他的方法。你愛他的『方法』，」我重複一次，強調他對他兒子的慷慨奉獻。

「我始終認為，給孩子我們從未得到的東西，是非常重要的一件事。」

我停了一下，然後說。

「他要做什麼你都不反對。」

約翰解釋：

「嗯，他是個循規蹈矩的孩子。我鼓勵他打棒球、賽跑，還有游泳。我要他相信：無論他想做任何事，或是成為任何人，他都能做到。」

聽他這麼說，我禁不住微笑。

「你的生命卻正好相反，約翰，從來沒有人給你，像你給他那樣的機會。」

「那不就是生命的目的嗎？讓孩子擁有比我們更豐富的生命？」

「是的。」我回答，希望他能聽懂他自己的話。但是，現在我該轉移焦點到他生命裡另外一個重要的部分了。

「你的妻子，她最近好像在生病，但是她現在好些了。」

但是，約翰沒注意到她的另外一個狀況。「約翰，她很擔心你。」

「我不知道她在擔心什麼，我壯得像頭牛一樣。」

「像頭牛？」我回問，讓他知道，這個比喻讓我感到十分驚奇。

「是啊，我的身體非常健康。」

我必須要讓他瞭解：我知道他想要隱瞞一件事情，一個不容易說出口的問題。

「你說的是健康的頭腦？或只是健康的身體？」

「怎麼？你『看到』了什麼我不知道的嗎？疾病？還是災難？我該擔憂嗎？」

「不是，不算是疾病。但是你不該擔心那件正在讓你身心交瘁的事。」

他開始緊張了。

「我有一點……」他頓了一下，「糊塗了。」

「為什麼，約翰？」

「因為……我不覺得我有問題。我是來找你幫我『看看』我的工作和事業、會不會搬家，還有那些別人說你能『預知』的事。」

我快觸碰到他來看我的眞正原因了。他很緊張，但同時看起來很興奮。

「為什麼我『感覺』你想躲起來？」我問他。

他假裝不解。

「我為什麼要躲起來？」

「我不知道，我無法從外表『看到』一切。請允許我深入。我必須找出那位跟你進來的女人，和你想隱瞞的事情之間的關係。」我停下，讓他有時間瞭解我說的話。「你看起來相當敏銳而又熱愛生命。但感覺上你並不愉快。」

「不是大家都會自怨自艾嗎？你不覺得人們總是怨天尤人嗎？」

「你知道，我經常對人說一些話。對某些人而言，那是一個聲明，對另一些人來說，我則是用它來直接描述那個人。」

我要讓他不再畏懼。

「我想知道，這輩子你真的活過嗎？還是活得像具行屍走肉，跟你現在一樣？」

「伊莉莎貝，我足跡遍佈全世界、我努力工作事業有成、我有賢妻善子。我的母親已過世，父親還健在。我是個負責的丈夫、是個孝順的兒子，更是個有擔當的兄弟和朋友。你到底『看到』了什麼？從我關於渴望的問題，你似乎知道了什麼？」

「首先，在這個屋裡所有發生的事和講過的話，我都會守口如瓶。你的爲人、來處和職業對我都不重要，你離開後一切都將成爲回憶。當然，我希望你是個成功的回憶。」

「你說的『成功』是什麼意思？如果你指的是『美國夢』，我已經很成功了。我有兩輛車子，一棟漂亮的大房子，我夢寐以求的事業，還有賢慧的太太以及優秀的兒子。人生如此，夫復何求？」

「你擁有你自己嗎，約翰？你還渴望著活下去嗎？爲什麼當我看著你，我感覺部分的你雖生猶死？好像得了致命的病，只等這病來接管你，爲什麼我看到你如此關愛周遭的人和事，但是，部分的你，我全然看不懂？」

我想，我要非常小心地來說我將說的話。

「也許這部分值得我們深入瞭解，也許你的渴望是無意識的……一旦發掘出來，就能改變你的生命。」

他感到驚訝。

「發掘？你說有些自己的事，我卻一無所知？」

「你不是不知道，約翰。但是同樣的，沒有任何關於你的事是我不知道的。」

他用力看著我，想要弄懂這一切，但顫抖的眼神卻洩漏內心的恐懼——他對我「知道」的事感到期待又害怕。

「約翰，你要出門旅行嗎？」

他再次被嚇到了。

「是的，我計劃要出門，我說過我喜歡旅行。」

「是全家一起去，還是單獨去？」

「單獨，我想讓自己好好放個假。」

「就你自己？真的只有你自己？」

「什麼意思？你認為我有情婦嗎？」

「不是，那跟我無關。」

「我關心的是你這次旅行的意圖，也關心你能否在這段期間裡堅持追求，甚至完成願望。我要告訴你一件事，約翰。」他對著我微笑。「讓我告訴你一件你切身的事，我認爲你必須知道。首先，我不相信你是眞正的活著，你只是存在著。另外，我知道你常出入在一個社交圈裡——你依賴著這個圈子，需要它的認同。你不瞭解也不接納你自己的願望，除非它被這個圈子接受，由於你的一些隱私，他們永遠不會接受你，所以……這就是你要遠行的原因吧？」

他盯著我，緊緊握著毛衣口袋裡的東西，我們彼此沉默不語，耳邊只有窗外的北風呼嘯。屋外颳風下雪，約翰的額角卻冒出點點汗珠，不是因爲溫度太高，而是因爲他即將面對他長久隱藏的眞相。

我在想應該怎麼開口。我計劃著該如何讓他瞭解爲什麼我「看到」那些影像。還有，該怎麼讓他明白：他的意圖、方法和行爲，只會導致一個必然的結果——他的願望永無實現之日。

不知爲什麼，他想打斷我的話，即使他非常想聽我要說的。他掏出皮夾，給我看他兒子的照片。

「這是我的兒子，你有關於他的事要告訴我嗎？有什麼我該擔心的事嗎？」

我看了看相片。

「天啊，約翰，這個孩子簡直跟你是同一個模子刻出來的。你們長得好像。」

「謝謝你，我以他為傲。」

「你擔心他嗎？」

「擔心？為什麼？我需要擔心嗎？」

「你不擔心萬一你不在了，他該怎麼辦？」

「我都安排好了。他的祖母剛過世，他知道死亡是怎麼回事，我還有鉅額保險，萬一我有任何不幸，他將衣食無缺。」

「我不是在講死亡，我是說，如果你必須離開，當你不在的時候，你兒子的腦海裡有足夠的回憶來記得你嗎？」

「我沒有要離開。」

「約翰，」我堅持地重複，「你有盡力而爲，讓他在你不在的時候，還能記得你嗎？」

「我實在不知道你在說什麼！」他相當生氣。「我應該去看醫生嗎？」

「約翰，我可以直說嗎？你可以對我開誠佈公嗎？」

「天啊！我太矛盾了！我想知道卻又不敢聽，因為它將折磨我所愛的人。」

「痛苦會消逝。你必須瞭解，當我踏入一間屋子，或走進一個人的生命裡，我不帶任何偏見，在那刻，我也會暫時抛開我的信仰。那一刻，我只看見你和你的價值觀，你過去和現在是什麼樣的人，以及這世界將如何記得你。」

他死抓著毛線衣裡的東西，我想知道爲什麼「那東西」能給他力量，讓他能繼續我們的談話，讓他能承受我將要說出的眞相。我知道那不是他兒子的照片，所以我故意問他：「你手上拿的是什麼？」

他卻又換了個話題。

「也許我該給你看我妻子的照片，你就會瞭解，也許你可以告訴我一些關於她的事情。」

我沒再追問，因爲我知道他不想回答。他拿出他妻子的照片，我「感覺」了一下她，她是個美麗可愛的女人，親切而又善解人意。

「她會好好的吧？」

「我看不到她會有什麼問題。」

「你確定她沒事嗎？」

「她不會有事。她會瞭解的。」

這回答讓他生氣了。

「不是的！我問的是她的健康，她看起來弱不禁風，她的身體有沒有什麼不對的地方？有什麼我該準備的嗎？」

「沒有。」我正視著他說，「你已經『準備』很久了，我知道你母親的過世讓你哀痛不已。」

「她很特別，你知道，她非常愛我，一直在引導我。她是不是那個你看見在我身後的女人？」

「不是，那不是你的母親，你的母親也在這兒，但那個女人不是她。」

他眞正地開始戒備了。

「你怎麼知道？」

「我就是知道。」

「她死後日子變得非常難過，一天難過一天，我們本來非常親密的。」

「是的，你們很親密。」

「她真的瞭解我。」

「我知道。」

「我是她僅有的兒子。」

「是的。」

「我們母子連心，你知道的。」

「是的，你們心連心，互相瞭解，你們不只是母子，更像是朋友，這種母子情誼是無可比擬的。但你必須記住：包括你的母親在內，我們都是凡人，會選擇性的去『看』我們想接受的東西。」

「哎呀，你聽起來就像她一樣。」

「我不是故意要聽起來像她，我只是要讓你知道，我知道她現在在『說』什麼。」

他的眼眸含悲，他在想念他的母親。

「她說她愛你，她也都瞭解了，她很遺憾過去沒能瞭解你是這麼個好孩子。

你大半輩子都在做人家期望你做的事，就連做的時間和方式也依著他們，但是約翰你要知道，生命中沒有對錯，只有選擇，只是選擇。通常爲了推卸責任，我們會選擇怪罪環境。如果眞的要對自己的生命負責，唯有經由行爲才能顯現出我們的眞我。」

他似乎聽懂了，然後我更深切入。

「所以，每天戴著『虛僞』的面具，做那個不是眞的你，對你是不公平的。」

「你說做那個不是真的我，是什麼意思？我知道我自己！我辛苦工作才有今天的成就！」

「眞的嗎，約翰？你的成就，是因爲你自己要，還是爲了要取悅別人，希望他們接受你，因爲你沒辦法接受你自己？」我停頓一下，「我不明白，你如此地愛你的妻兒，我知道你眞正愛他們，卻不能多愛自己一點。」

「過去也有人這樣全心愛我，無條件為我付出，我是學會的。」

「生命中最重要的是——我們必須接納眞正的自己。」

「我做我『必須』做的我。」

「不是的，我不是那個意思，你在學術上非常的成功，是個好丈夫，更是個有愛心的父親，但總體上，我沒看見你誠實地面對你自己，爲什麼你對別人勇於奉獻，卻對自己吝於付出？」

「嗯，很久以前我就學會：如果做得不對，你就得不到獎勵。」

「你的意思是？」

……

「諮詢結束後，我還會是原來的我嗎？」

「從來沒有人離開的時候還是一樣的，你也不會一樣的。」

「伊莉莎貝，請你直說：我該知道什麼？」

「你要知道的，就是你已經遺忘的，你把它藏在腦海裡——你徒有渴望，卻不知它可能實現。」

我刻意暫停了一下，讓他有時間反應。

「現在我的母親已經過世，我傷害不到她了，我父親從未真正的關心過我……所以我怎麼做都無所謂，但我會不會傷害到那些愛我，而我也愛的人？」

「你問的是：如果他們發現，在你身體裡還有另外一個個體嚮往著要出來，他們會如何反應？另外的這個個體一向只知道給予。他活得就像個演員，一場接著一場的期待著掌聲，只希望別人像接納他假扮的人一樣地接納他，他便能停止扮演，好好謝幕，然後，去過他以後的日子。約翰，我該說出你手裡握著的是什麼東西嗎？」

「不要，還不要，但是請你告訴我，為什麼我會這樣？」

「你是個如此有愛心的人，在這個年紀，你是個有愛心的男人，內心的感受不是你的錯——內心感受的……只有你自己受苦。我該說什麼呢？你計劃了這次旅行，之後可能不再回來。你應該學著接受你眞正的自我，你在你的生命中，對周遭和你所愛的人所做的一切，他們都將銘記在心。在生命中面臨抉擇的時候，我們需要檢視我們有無盡心助人，如果有，我們才有資格去追求自己的生命。你的妻子愛你，她會永遠愛你。她會責備她自己嗎？她會非常的困惑，非常的困惑，畢竟，你已經這樣扮演了很多年了。」

「你在母親過世之前隱忍不說，是因爲你非常非常，非常愛她，不想讓她失望。現在她走了，你想要自由了，卻爲了不傷害愛你的人——尤其是你的兒子，你又猶豫著想維持現狀。」

他懇求我。

「請體諒我的苦衷，伊莉莎貝。」

「我瞭解，我知道你身體裡活著另外一個個體。我知道它與生俱來，並攸關你的眞我。你的父母用盡心力來改變你的態度、個性、心態和思想方式。因爲想服從，所以你都做了。但是，在生命中，有時候我們必須面對自己，問自己：我們對自己公平不公平？如果不知道如何關心自己，怎麼知道如何去關心這個世界？現在讓我說出你手裡握著的東西。

「噢！不要！伊莉莎貝！那會讓我無地自容……。」

「那不會的，告訴我，我怎麼可以不談你是誰？我怎麼能不幫你，讓你走出門時，是個自由的人？我怎麼能不看到隱藏在你身體裡的那個美妙個體？我怎麼能不看到你爲別人所做的事！你被剝奪了關愛、諒解，和眞我，你決定被鑄造而變成了他人期望的你。是爲了什麼呢？三十七年來，你一直這樣活著，現在突然……。下一步你要做什麼呢？他們會批評你嗎？世界上的人本來就是會說是道非的。他們會惱怒你嗎？會的。你還會再跟他們相處，他們會設法瞭解你的苦衷嗎？他們會接受你，但是那需要時間。」

我停下來，等著。

「我知道你離開這裡以後要做什麼：你要去你放衣物櫃的地方待一兩個小時。在那裡表演之後，你將鞠躬致謝，然後，去趕下一場演出。回到家，你又扮演一個充滿愛心的父親和丈夫。夜闌人靜，你閉上雙眼，在夢裡你會悲憤流淚。

我怎麼可以讓你如此苦度餘生？你要釋放自己！我看見你身後的女人就是你自己！是眞正的你！」

他震驚無比。

「伊莉莎貝，你為什麼要這麼說？你怎麼『感覺』得到？你怎麼知道？我該怎麼辦？有時候，我覺得死是最好的解脫。」

「爲什麼你還不明白？爲什麼你要這麼講？覺得你必須一定要離開。你該做的是：必須離開你那不想再繼續的生命，好好去實現你的夢想，去過那個你尋尋覓覓的、盼望著的，爲它而活的、爲它哭泣的生命。而且不要驚訝，在這個世界裡還是會有人瞭解你的，就像我一樣。」

我停頓並「感覺」了一下。

「你要問你的兒子？噢，他很愛你，你也很愛他。還有你的妻子？相信我，約翰，她早在懷疑了。知道眞相時，她不會驚訝的。無論如何，委婉地告訴她，跟她解釋那是上帝的『賜予』，不要讓她爲了你認識她之前就有的問題，而責備她自己。」

他無法控制他的情緒了。

「喔！我覺得好自由！我想哭、我想笑、我想跳、我想跑、我想躲起來。」他頓了頓：「我想去死。」

「不可以！你不能一面說要追求幸福，一面又有尋死的念頭。你的親友們會諒解的——因爲你過去無私付出的愛。他們會接受的。」

「我『看到』你有一個衣物櫃，裡頭擺滿了女人的衣物。現在，你的手裡拿著女人的服裝，你拿著一件女性內衣。」

「伊莉莎貝！不要再說了！如果被其他人聽到了……」

「約翰，看著我！我以後不會再提起你的名字。請記住：許多人有和你一樣的故事，我曾見過像你一樣的人，未來我還會遇見更多。我唯一要做的是：讓你自由，讓你好好地愛你自己。」

他覺得他還有事要解釋。

「我不要跟男人在一起！那不是我想要的。」

「我沒問你想要做什麼。」

「我只是想做我自己，我只是……我只是……想要做我自己。」

「我不是來批評你的，也不是來告訴你如何做，或爲何做。」

「我相信上帝。」

「祂也相信你。去做對自己最好的事吧！記得不要對人說謊，不要對自己說謊。在你的餘生，要帶著榮譽和尊嚴活下去。不要有尋死的念頭，不可尋死！」

他開始啜泣。

「伊莉莎貝，為什麼我感覺你是我的母親？不是我親生的母親，就是個母親，一個能聽我傾訴，跟我解釋一切的女人。」

「我不知道，我不知道你想要看到什麼，但你該回家，去面對你的家庭，給他們你所有的愛，我『知道』他們會諒解的。你不能一直活在謊言中，也不該繼續傷害別人，更不該浪費別人的時間。今天你可能決定要留下，也可能改變主意

——之前你已經猶豫很久了。但是如果你這兩天不離開他們，我肯定未來有一天你還是會離開。我要你知道：不管你要做什麼，都要公平對待他人，尤其要公平對待自己。」

「所以……在你身後的女人就是你自己。」

「伊莉莎貝，這是我的夢想和希望。我可以再給你看件東西嗎？一張照片？」

「當然。」

他從皮夾裡拿出一張相片。

「看看這個。」

他淚流滿面，那是一張女人的照片。

「她瞭解一切。」

「我知道。」

「不是！她是『真正地』瞭解。你知道她是誰嗎？」

「是的，我知道。」

「伊莉莎貝！她就是我自己。」

他起身繞著房間走動，他說出了他該說的。

「但是，為什麼我仍然深愛我的妻子和兒子？」

「他們是你生命的一部分，一個永誌不忘的部分，無論發生什麼事，你將永遠深愛他們！」

約翰收拾好他的東西，道謝離開了。他那「隱藏的眞相」得到解放，他現在擁有嶄新的面貌了。我站在窗邊，看著約翰離去的背影。他不再是「兩個人」——他終於變成了一個眞實的自己。

5.

Your Hidden Truth

提米

在這個複雜的世界裡，「邪惡」與「善良」並存。
我們必須警覺「邪惡」的逼近，甚至予以反擊。
而無論如何，明天永遠充滿著希望，
但是被「邪惡」所圍繞時，我們必須承認它的存在，
否則，無辜的人就會受害。

有時我們掩蓋事實，企圖保護我們的名譽和家庭，結果無辜的人因而受到傷害。

一個客戶，同時也是我的好友，打電話給我，他是個心理醫生。他病人的孩子生了怪病：六歲的提米不知爲什麼突然就不說話了。醫生用盡了辦法卻束手無

策，只好找我幫忙。

「我見過了父母和提米，也分別的和他們談過，提米只是坐著，不說話、不回答問題也不吃東西。父母憂心忡忡，不知道發生了什麼事。他們試過他最喜歡的食物和玩具，所有想得到的都試了，卻無法得到他的反應。父母認為也許是在學校裡出了事，但什麼也查不出來。現在他們全靠我了，但我試了所有的溝通方法都沒用。你能幫我看看嗎？」醫生懇求。

「你知道，沒有家長的同意，我是無法幫忙的。」

「我跟他們提過妳，他們本來不相信這些……」他有些抱歉地說：「但是情況如此迫切，他們願意嘗試任何事情。」

在醫生的辦公室裡，我見到了這對父母，約莫三十來歲，看起來很有背景的樣子。他們的臉上寫滿著焦急和不安：這個人會對提米「做」什麼事情？她會不會使用什麼巫術？提米會不會受傷？事後會不會留下陰影？

「我不會做任何事情，我只會跟他說話。」

「不可能，他根本不開口。」

「他不會說話嗎？我的意思是他從來沒說過話嗎？」

「不是，不是那樣的，他會說話，但是這兩三個月以來他都不願意開口。」

「我們看了好多醫生，他的喉嚨沒有問題。我們不知道到底出了什麼事，他從來沒有獨處過，日常生活也很規律。」

我靜靜地聽著，我「感覺」他們真的很害怕。

「醫生說妳能夠幫助提米。任何能幫的忙，我們都非常感激。」

我的客戶，那個心理醫生把我拉到一旁：「提米對我不理不睬，只是不停地跟他的小泰迪熊喃喃自語。他來過四次，這是第五次。」

「那麼這次有什麼進展？」

「什麼都沒有。」

他轉過去告訴提米的父母說：「我先跟你們解釋，待會兒伊莉莎貝會『讀』提米腦子裡的想法。」

提米的媽媽驚呼：「讀他的想法！」她很驚訝，也有點焦躁「六歲的小孩知道些什麼？六歲的小孩能有什麼想法！」

「是嗎，妳是他媽媽，妳覺得他不會有想法，也知道什麼對他最重要，可是他現在不願意跟妳這個媽媽說話了。」

一陣尷尬的沉默後，提米的媽媽說：「過去他是一個非常快樂又可愛的孩子，什麼事都會告訴我。現在突然的就變成這個樣子了！一定是在學校裡出了事！提米也不肯講，我就去學校問他的導師，還有他的朋友和朋友的家長，卻什麼也查不出來。」

「事情是什麼時候發生的？」

「兩個多月前的一個星期三開始的。」

提米那天照常去學校，他要參加一個遊藝會的預演，他花了很多時間背他的臺詞。

媽媽說：「但是他表現得很好，表演結束後，他還很高興的跟我們揮手。我們後來才想到也許在表演的時候出了什麼事，也許他忘了臺詞還是少做了什麼動作，但是我們問過的人都說那天的表演非常順利。那天晚上我和他爸爸出門辦事，提米想去，我說不行。我請他的叔叔過來陪他，他也很乖的沒有吵鬧。而且稍晚的時候，我們還帶了禮物回來……這也不是第一次，提米從沒落單過，總是有家人陪在他身旁，每個人都好喜歡他……後來我想起來，那晚我們辦完事要回家前，我打電話給提米，他就不肯講話。

但是第二天，他又照常上學。一切都正常，直到老師下午打電話來告訴我說，提米不肯跟任何人講話，就靜靜地坐在他的椅子上。不管老師怎麼問，他都不答，明顯地出了問題。老師要我們帶他回家，我們馬上帶他去看醫生，怕他是不是有什麼地方不舒服說不出來，但是除了不肯開口說話，醫生找不出任何毛病。」

我「感覺」她已經知道有嚴重的事情發生了——提米的眼神失去了光采，也沒有了以往的興奮。

「他連笑都不笑了。」

她掩住臉孔。這時候提米的父親用自責的口氣說：

「也許是我答應了他什麼事情，卻忘了做到。」

提米的媽媽抬起頭：「那次我們出門沒帶他去，他……是不是在報復？他的行爲好像是在報復我們。」

我意識到他們每個人都只給我他們「願意」給我的背景資料，我不能讓提米繼續受苦了。

「我會盡力而爲。」

該去見提米了，我讓他們跟著我一起去見提米，我不要孩子有跟家人分開的感覺。

提米坐在沙發上，抱著他的小泰迪熊。他的媽媽向他介紹我：

「這位是伊莉莎貝，是媽媽從紐約來的朋友。你沒見過她，但是她很關心你。所以醫生看你的時候，她會跟我們一起在房間裡。」

孩子連眼睛都不眨一下。他人坐在那兒，卻像是一具失去靈魂的空殼。提米的無言反映出事態相當嚴重。醫生開始看病。

「提米，我會問你些問題，然後伊莉莎貝也會問你一些問題，好嗎？」

孩子沒反應。

「你有沒有什麼地方不舒服？有人欺負你嗎？」

還是沒有反應。提米只是抱著小泰迪熊坐在那裡。那是一隻大約十二吋長的棕色泰迪熊，已經磨損得很破舊了。我已經看到我需要看到的，我知道提米不跟我們講的事，都會跟這隻小熊講。

「我可以說話了嗎?」

「當然，伊莉莎貝。請說。」

「提米，我可以抱抱你的小熊嗎?」我輕輕地問。

他沒有看我，只是默默地把小熊遞給我，大概是因爲我沒問他什麼東西在傷害他，我只是向他要一樣東西。提米的媽媽驚訝的張大了嘴巴。

「你知道嗎?提米，我的兒子在像你這麼大的時候，也有一隻泰迪熊，當然不是一模一樣的。你的小熊好可愛。」

我「知道」提米在聽。

「如果不想說話，你可以不講，我知道你不想講。」我說，我先認同他的行爲，「這樣好不好，你想著那個欺負你、讓你不開心、不想去想的東西，想著任何人做過的，讓你討厭的事情。」

他開始回想。立刻，發生過的事淸晰地浮現在我眼前。我難以形容當時的感受——五味雜陳，更多的是心疼和難過。我也替那個傷害提米的人難過，他當時或許得到變態性的滿足，但是，當他有一天瞭解到自己的行爲是多麼的卑劣，他會悔恨終身。

孩子是無辜的，而「無辜」的壞處就是它同時也是「天眞無知。」我們不能期望孩子去表達一件他根本不懂的事情，一件我們認爲是「壞」的事情。我們辨別「好」與「壞」的認知來自於與年俱增的經驗和知識。孩子太年幼了，他們根本不知道那就是我們所謂的「壞事」。

傷害提米的是他的叔叔，一個他們全家都信任的人。叔叔那天晚上的行爲讓提米無法接受：一個自己所愛，同時也應該愛自己的人，竟用了一個傷害他的方式來愛他。那個叔叔大概也傷害了自己。他受的傷害是不同的，他的「疾病」讓他當下得到滿足，日後卻必須飽受折磨。

提米不知道該怎麼形容他的感覺，我們認爲是壞事，但是對提米來說，那只是一件發生過的事。一個六歲小孩沒有詞彙可以表達他所經歷的事。所以他覺得最好什麼都不要說。

有時候，父母會主觀地用我們的看法來發問，通常都已假定小孩是受害者。但提米卻不知道自己是所謂的受害者，他不知道該如何回答。

父母會問：「有人對你做了壞事嗎？」

在一個小孩的眼裡，一個「應該」愛自己的人所做的事不可能是「壞事」，什麼是「壞事」？

「有人打你巴掌嗎？」

沒有，那是「壞事」，沒有人打我巴掌。

「有人傷害你嗎？」

沒有。

父母和醫生用「我們瞭解的問題」不停地追問，但提米不瞭解，所以與其說出發生的事情，他只好靜靜地坐著，無法作答。所以我替他說話。

「會沒事的，提米，沒事的，那不是你的錯，你可以告訴爸爸媽媽，叔叔摸了你這裡。」我指著他身上的部位「你可以告訴他們，叔叔摸了這裡、這裡和這裡。你可以告訴他們你不說話是因爲你不希望這個事情再發生。」我停了一下：「還會不會痛呢，提米？」

他沒有看我，只是看著他的媽媽。提米的媽媽熱淚盈眶，她無法瞭解，也無法相信，但是她看見我讓提米有了反應，雖然他還是沒開口。

當人們不能講話的時候，有時候，它可能是有口難言的無辜，有時候，它可能是默認了難以啓齒的罪行。

我抱著提米和他的小熊，說不出話來，我感覺提米想要大叫，又叫不出來，他流著眼淚，但是他叫不出來，他需要有人抱著他。

我們告訴孩子這是一個完美的世界。但是我們忘了告訴孩子：再完美的東西，也有難免的缺憾。「善良」與「邪惡」並存在這個世界上，不能隨便信任，更不能隨便將孩子交托給任何人。提米的父母出門辦事，他們照常請叔叔來陪著提米。然而，叔叔這次失控了。叔叔告訴提米，他要用一個很特別的方式來「愛」他，不可以告訴任何人。提米不懂叔叔所表達的「愛」是什麼意思，但是那個「特別的方式」讓他很不舒服。但是叔叔說這是他們之間的小秘密，提米不知道該不該告訴別人，所以他保持沉默。

我抱著提米，讓他知道就算叔叔說不可以講，只要是感到不舒服的事情，也一定要馬上告訴爸爸媽媽。

「看著我，提米，」我輕輕地，但是很堅定地說：「我保證這種事以後不會再發生。但是一定要把事情告訴爸爸媽媽，因爲我知道發生的事情。」

提米覺得我什麼都知道，因爲我把他心底的秘密都替他講出來了。

他朝著媽媽伸出雙手。提米的媽媽流著淚，把他緊緊地抱在懷裡。她哽咽地告訴提米沒關係，無論發生什麼事情她都會永遠愛他。對發生的事，她好難過。

「媽媽，我也好愛妳。」提米小聲哭著說。

我離開房間，他們已經不需要我了，提米的父親跟著出來，他拉拉我的衣袖。

「現在我該怎麼辦？」

這是這個故事裡最悲哀的地方，也是這種事不斷重演的原因。我憤怒地瞪著他：

「你早就知道。這不是第一次。只是這一次是發生在你愛的人身上。」他變成非常的煩亂。他提到自己的父母有多愛他的弟弟——那位傷害提米的叔叔。現在他們不知道該怎麼辦。

「你現在還是像以前一樣地愛你的弟弟和關心他嗎？在他永遠傷害了一個你摯愛的人，你親愛的兒子以後，你還是一樣的愛他嗎？」

這道理如此明顯，他不需要作任何回答。

人們常要遮蓋東西、隱藏問題。他們不瞭解，這樣會帶給別人痛苦，所以他們一再遮掩，直到他們自己嘗到苦果。對某些家庭而言，維護名譽比什麼都重要。如果提米的父親和祖父母能夠及早採取行動，而不遮蓋這個問題，或騙自己問題會自動消失，這個事情在很久以前就可以避免。也許當時他們自己，或者受害者沒有眞正受到傷害，所以他們爲他那病態的弟弟找各種藉口：「那不是他的錯，都是別人自找的。」現在，提米為他們以前的所作所為付出了代價。提米成了受害者，讓他們一輩子記得這個弟弟的病態。

有時候我們太忙，只好拜託別人幫忙處理事務，雖然聽說過他有點問題，我們又說服自己：最壞的事不會發生。我們可以適時冒險，但千萬不能拿無辜的孩子來冒險。世界上有太多的人因為童年的痛苦經驗，讓他們終身活在陰影裡。因為我的幫助，提米的父親要付我錢，我拒絕了。這是一次痛苦的診療經驗。如果我能夠早點遇見他們，我能夠讓提米完全可避開這次的事件。

然而，若不是因為這個事件，提米的父母永遠不會有機會跟我交談，他們根本不相信這種心靈感應。他們現在相信了，只可惜提米已經付出沉重的代價。

6.

Your Hidden Truth

邁可

我們必須願意改變，
改變能打開生命中看似無解的結。
敢於改變，勇氣自來。

我跟著他們的需求和信仰而改變，
我由他們的眼裡和他們的經驗裡，
看到他們的生命，感覺著他們的生命。

邁可是一個誠摯而顧家的男人，他很喜歡處理事情，關於他家庭的任何事情，不論是關於父母、太太、孩子，甚至是岳家的事情，在他而言永遠都是第一優先。他是一個成功的工程師，條理分明、講求實際：凡事立定目標，再擬計劃，然後確實執行直到獲得預期的成果。如同數學家一樣，面對挑戰性的問題，邁可讚賞優雅的解決方法——必須邏輯正確、證明嚴謹，才能使他信服。這麼一個相信科學的人，竟會尋求一個他覺得「不邏輯」或「不科學」的人的幫助，本身就令人訝異。二〇〇五年的夏天，邁可首次跟我聯絡。

「伊莉莎貝，妳好。我和太太在《世界日報》上讀到關於妳的報導，那真是一篇很棒的故事。我想請教妳一些關於孩子的事情。我希望他們一切順利，妳能給我們一些建議嗎？」

「我很高興你打電話過來。這不會是我們最後一次通話，往後的許多年裡，我們會經常的交談。」

「那很好啊，不過，我自己沒有什麼問題，我想問的是我的小孩和他們的教育。」

「我瞭解，我再說一次，以後的幾年裡，我們會時常交談。」

邁可做事喜歡有計劃。但是他是不可能把我「看到」的「他的未來」計劃進去的。我要幫助他準備。

在第二通電話裡，我「感覺」到一件事情——一件如果他現在不面對，日後會釀成悲劇的事。所以我問他：

「你的太太還好吧？」

「你上次也問過。她很好。有什麼不對嗎？」

「我『看到』她會有麻煩。」

我停頓了一下，讓他有時間想一想我的話。

「你把生命規劃得很完美。但是，你忘了爲疾病和意外做準備。」

邁可有點被嚇到了，但是他決定聽我繼續說下去。生平第一次，他偏離了細心規劃的完美軌道。

「我的太太正好在旁邊，你要跟她說話嗎？」

「好的，我有話要跟她說。」

邁可的太太接過電話。她的聲音裡帶著一絲恐懼，但是我「感覺」她比邁可更相信我，或者我該說她比邁可對我更有「信心」。

「妳有『感覺』到關於我的女兒和兒子的事情嗎？」她問。

「我知道他們對妳有多重要，我會盡全力幫助他們成功。事實上，有這麼關心他們的父母，他們已經成功了一半了。妳的女兒和兒子的發展有些不同，不過我們現在還不必討論這些。」

「妳希望我能告訴你不論發生任何事情，他們的前途註定光明。但是，在我這麼說之前，妳必須知道，要讓他們有所成就，妳就必須要保持身體健康。」

我又停頓了一下，讓她好好想想我說的話，接著，我說出那個她不知道的「隱藏的眞相。」

「妳的身體有了些問題。」

可想而知，我說的「眞相」讓她極度不安，

「妳怎麼可能知道我的身體有問題？我們根本沒見過面，」她說，極力設法保持冷靜。

「我能理解妳難以置信。但是要記住妳在妳孩子的生命中，扮演著一個不可或缺的角色——而我們在討論他們的成就，所以妳被牽扯進來。妳一定要去看醫生，好好處理妳身上的『東西』。」

「妳在說什麼？」她結結巴巴地說：「那會是什麼『東西』？」

「如果你對我的『能力』有信心，就照我說的去檢查一下。先告訴你一個好消息，這個『東西』才剛剛冒出來，是可以治療的。」

邁可的太太被這個消息嚇壞了，但她還是很有禮貌的道別，並把話筒交還給她的先生。

「你一定要這樣告訴她嗎？」

「是的。」

「我不知道這是不是真的，但是……」他的聲音越來越輕，我可以感覺到他語氣帶著懷疑。

「這太難以置信了，不過我們會去做檢查的，希望檢查結果沒事。」

「不管檢查結果是什麼，她最後都會沒事的。」

邁可勉強壓下不安，換了一種較爲愉快的語氣問我：「你覺得我們該見個面嗎？」

「見不見面現在並不重要。」

我們互道再見，掛上電話。

我回到客廳，坐在我習慣「思考事情」的扶手椅，那張椅子總能給我一種安全感。我問自己：「我的下一步該怎麼走？他們不是爲了這個打電話來的，我幹嘛這麼做？」答案很簡單，他們註定在這個時候要出現在我生命裡。我的責任就是要照顧尋求我的人，我能幫助他們預防危險、避免災難；我能觀察事情然後建議、聆聽困難之後引導。我必須盡我所能來幫助邁可夫婦，對這些人的愛和關切，就是我的一切。

過了幾天，他們打電話來。邁可先講，他聽起來很激動。

「檢查檢果出來了！就跟你說的一模一樣！天啊！我不敢想像如果沒有妳的警告，事情會變成什麼樣子……」

醫生發現了一個可能致命的腫瘤，必須馬上處理，就如同我之前「看到」的一樣。

「有很多原因促使你來找我。你的生命中還有事情需要我的幫助。邁可，你慣於籌劃，每件事情都要做計劃，但是生命不是一成不變的，不論我們怎麼掌控，事情總是在變。如果現在你的太太沒有好好花時間治療，你和孩子的生活都將會一團混亂。」

邁可的太太接過電話。用顫抖的聲音告訴我：

「檢查的結果不是很好。」

「放心吧！雖然不是好消息，雖然幾個月裡妳要接受治療，但是妳不會有事的，妳的時候還沒到。但是，不要把這個福分看成是應該的，要記住妳的角色非常重要，少了妳，孩子的成就不可能完成。」

幸運的是，邁可也開始有了「信心」。

「我想，既然妳說她會沒事，她就會沒事。」邁可在分機上高興地說。

他不願意表現出他感激「不科學」的我，我常常碰到這種態度。

「我們之後會再打電話來。」邁可的太太保證。

「保重自己。」邁可也很關心地說。

幾個禮拜後，我接到邁可的來電：

「一切都好。」

他太太的情況好多了。

這樣的反應常常讓我覺得好笑，雖然他們不願意全然相信我，但總算開始有點「信心」了。

邁可話鋒一轉，話題回到他的孩子。

「可以談談我的女兒嗎？」

「我們稍後再談她。現在先不要給她壓力。」

他還想再問，但是覺得還是停下來比較好。畢竟，太太的治療成功，當下他也不想知道更多。

大約一個月以後，他又打電話來。

「妳好嗎？我知道你好忙，只是想問問我的兒子……」

我打斷他：「現在還不是談他的時候。」

還好邁可決定不跟我爭辯，事情變得容易多了。

「那關於我自己呢？有什麼我該知道的事情嗎？」

「新工作決定了沒有？什麼時候要搬家？」

我自己偷笑。邁可明顯地受到驚嚇，他的聲音充滿著不安和困惑。

「搬家？我沒有要搬家啊！雖然這份工作不是最理想的……，而且我的年紀也大了……」

「年紀大了？」我打斷他。

邁可有禮但堅定地回答：「我無意辭掉目前的工作。雖然我曾懷有遠大的目標，但是失敗了。我還是該抓住手上的東西。」

「讓我幫你準備來面對我『看到』的東西。首先，不論你過去多麼有企圖心，也嘗試過，現在的公司並不賞識你。不管你怎麼用心，你在那裡只會加深挫敗感。最重要的是，無論如何都不能放棄你的夢想和目標。再者，不要讓周圍的人消磨你的雄心壯志，你寧可選擇離開。」

邁可辯駁：「首先，除了工作之外，我還有照顧妻小的責任，我不能輕舉妄動。其次，我爲什麼要辭掉一個穩定的工作？工作上並沒有什麼事困擾著我！」

「等著看吧。不管怎麼樣，該來的總是會來的。」

邁可試著轉換話題：「我是想要問另外一件事，我的兒子會有多大的成就？」

我不讓步。只有我知道繼續著這個令人沮喪的話題有多重要。

「邁可，你爲什麼不讓天道自然運行，停止照著你自定的程序行事。」

這時候邁可太太的聲音從分機傳來：「我需要做些什麼嗎？我的兒子會沒事吧？女兒會去上學嗎？她會決定她要做什麼嗎？」

「不要擔心，現在只要爲那件你們看不到，也想像不到的事作準備。如果我是妳的話，我會開始打包行李。」

他的太太也不能接受了：「尹莉莎貝，不是我不相信妳……只是，我們已經在這裡安家立業、而且根深蒂固了。」

「好吧！謝謝妳這麼坦白，妳會看到的。」

過沒幾天，邁可又打電話來，他非常激動。

「最近我的情形糟透了……」

「你被解雇了，是吧？」

「是的！」

邁可感到無望、迷失又受傷。他沒有自信，像第一天上學的孩子，不敢踏出嘗試的第一步。

「不必再說了，不要浪費時間在你周圍的人身上，他們不知道你的潛力，更不瞭解你成長的潛力，他們只會打擊你的夢想。你的本質從來沒有改變過，但是他們一直不給你機會表現自己。」

然後我告訴邁可接下來該怎麼做。

「讓我們重新檢視你的目標、生活還有每天該做的事情，先把你原來的計劃扔了，我們來做個新的。然後開始打包行李，我『看見』你要旅行。」

我要讓邁可感染我的熱情和興奮，他需要被激勵。

「你會到一個會議室裡去面試。要表現出你的特質，把那份隱藏的能力發揮出來。活出自己，對自己要有自信，要有信心，不要再隱藏自己了。要加油啊。」我說。

他嚇得說不出話來。

「不出三個月……，你就能重新找回信心滿滿的自己。」

然後，我用最最肯定的聲音說：「一切終將圓滿。」

在分機上，邁可的太太驚慌失措：

「為什麼這種事會發生在我們身上？」

「不要問爲什麼。這件事的發生就是爲了要給他一個機會，讓邁可得以仔細探索他的內心，邁可，你聽得懂我說的話嗎？」

邁可聽到了，可是他並不瞭解。

「我非常用心地在聽。」

我不放過這個重點：

「你們爲什麼這樣看這件事情。把它看成失敗是不對的。我的看法不同。我把它看成是你這輩子裡最重要的一個機會，一個你重拾自我的機會！即使別人看不到，你要看到你的眞我，那個別人要你改掉的眞我，你要成爲的是『一個敢於夢想的人』——那個別人不容許你成爲的人。你周遭的同事不給你機會，甚至擱置你的建議、剽竊你的成績！」

我停了一下，然後繼續鼓勵他：

「可是你不敢爲自己爭取。你在害怕什麼？怕失掉什麼？」

「當然是怕失掉我的工作……」

「工作！」我說，「像你生命中其他重要的事一樣，一份好的工作應該能讓你感覺滿足，被信任，被重視，而且感覺你的意見被尊重。」

邁可還是不懂。

「好的工作就像是好的婚姻，在那裡我們能融入，能自在，能在成長時邁進，也能在成長時犯錯和修正。我們都需要爲自己找一個這樣的地方。」

他震驚得說不出話來。

「爲什麼你不能像我一樣的來看這件事情？」我高聲地說：「爲什麼不把它看成是你重獲自由的第一天！」

我的邏輯無可爭議，但是，邏輯幫不了一個感覺受傷和無望的人。

「你必會成爲我所『看到』的你。要好好準備，讓新的工作夥伴認識你以及你的能力、特質、勇氣、信仰和你的原動力。」

邁可終於有反應了，他問：

「這些都是你『看到』的嗎？」

「是的。總共要花三個月的時間。你會有四個面談的機會……或許三個。其中的兩個會再打電話給你，然後就會有結果。三個月之後，一切將會圓滿。」

「你怎麼知道的？」

邁可的太太一直在分機上耐心地聽著，現在打斷了他：「你爲什麼還有疑問？尹莉莎貝幫了我們多少事情？」

「我不是質問，我……只是害怕……」

「不要怕。有時候我們怕看不到的東西，卻接受看得到的事情。往往我們雖然知道不該在某處逗留，不該跟某個人作朋友，或不該做某件事情，最後，我們還是做了，雖然我們明明知道它是錯的，因爲它已經成了我們生活的一部分，我們同流合污，習以爲常。你自己很淸楚離開那間公司對你是件好事，你只是缺乏自信、不敢承認罷了！」

他帶著些挖苦地說：

「你覺得在我這個年紀還能升遷嗎？」

「當然，你會升遷，也會加薪。但是，要得到這些好處之前，你必須要檢視你自己，你必須要愛上你自己，尊重你的能力、知識和信仰。你不能讓別人摧毀這些想法和念頭。你看不出來嗎？我『看到』的你，是一個自信滿滿，不需要他人附和的人，因爲這個人知道自己的能力和成就。」

他開始轉變了：

「是的，我認識那個人，那是以前的我。」

「什麼事情讓你改變了？」

「是工作……我在工作上遭遇到挫折……」

我沒作聲，讓他好好想想自己說的話。

「噢！邁可！你忍受那份糟糕的工作，只因為你拿了人家的薪水？」

我簡直無法置信。

「嗯，那是錢，又不『只是』錢，它也代表了帳單和對家庭的責任。我是一個顧家的人。」

無法負起顧家責任的羞恥幾乎讓邁可癱瘓。

「不要把責任和對自己的信任和信心給弄混了。你不知道過去發生的事對你的意義，我知道。過去的工作夥伴忽略了你，現在，不要再爲他們神傷了。」

我知道我該給邁可一些「解釋」。

「你必須經歷過這些磨練，才能到達你『註定該到的地方』。」

然後，繼續照著我的步驟執行下去，我說：

「嗯，像我說的，有三間公司會對你有興趣。你會搬到一個你很熟悉的地方，你住過那裡。」

然後我再一次強調：

「你一定要好好檢驗你自己。對自己要有絕對的信心。」

接著，我問了一個每個面試官都會問的問題：

「如果連你自己都沒有信心，我怎麼會對你有信心？」

最後我給他一個功課：

「你需要找回自己，相信你自己。你必須要設立你眞正渴望的目標，然後達成它們，除了你自己，沒有人能幫你做到。」

兩個禮拜後，邁可打電話來，聲音裡充滿著興奮。

「好消息！就如妳所說的……」

這就是這份工作讓我最欣慰的一刻——邁可終於找回了對自己的信心。他每天練習，終於重拾信心。他瞭解多年來，他爲著將來做準備，現在，他開始收獲成果了。

又過了幾天，邁可又打來：

「那間公司真的要我！他們開出的條件好棒！」

邁可欣喜若狂，我也替他感到高興。

設立目標的時候，要讓它有擴充的空間，而且要讓它有達成的機會。你每天都要練習去認識自己、相信自己，然後才有力量幫助周遭的人，這樣大家都能受益。如果你對自己有信心，就不會在意別人怎麼看你；如果你處在不屬於你的環境裡，不論你堅持多久，遲早還是得另擇他木而棲。

邁可衷心的說：「伊莉莎貝，眞是謝謝妳，妳再造了我。」

「是你的信任、信心和對家庭的奉獻，讓你找回了眞正的你，我只是早就『感覺』到你本性裡有這些特質。」

「還有什麼要告訴我的嗎？」

我等的就是這一刻：

「我在你生命中出現的目的，不單是爲了我們剛做的這些事情，我出現更重要的是爲了……你的兒子。」

「我的兒子？」他有點疑惑的問。

「是的。現在是他生命中最重要的時刻。」

所有的事情都要兜在一起了。

「讓我告訴你吧！現在，你的兒子成功成長的機會大多了。因爲他的父親，也就是你改變了對人生一成不變的看法。你現在能更瞭解你的兒子和他的需求，因爲就如同你本身經歷過的一樣——這是男人必經的成長之路。」

7.

Your Hidden Truth

吉米

我們活在一個複雜的世界裡，做好人做好事並不保證就會有好報，準備在生命裡經驗好事和壞事，就像經驗白天和黑夜一樣。要注意你身邊發生的所有事情，因為，你必須負責你自己的幸福。

三十四歲的吉米馬上就要面對一個將深遠影響他生命的挑戰。除了我給他的教誨之外，他需要更多的幫助。天性樂觀，又一心渴望獨立自主，所以吉米常做出天真而盲目自信的決定。吉米太過於善良單純，常處處替旁人著想，卻忘了應該保護自己。

吉米天性慷慨，也覺得幸運，所以從不懷疑生命的美好。然而從小到大，吉米一直有個疑問：「爲什麼我的母親能在事先『看到』即將發生的事情？我能用這些信息做些什麼？」

吉米是我的長子，我深愛他。他是一個甜美而討喜的孩子，常常看著他無辜的面孔，我總有一股幸福到想流淚的衝動。隨著他逐漸成長，我們的關係也變得更加親密。他是一個得力的助手，幫我照顧他的弟弟比爾和彼得，和其他很多事情。彼得有先天性的心臟病，需要額外的照顧。彼得小的時候，吉米對他的呵護無微不至：若彼得的表現良好，吉米會大力的讚美，來幫助彼得建立自信；無論去哪裡，他們總會手拉著手，要不然彼得就會坐在吉米的肩膀上。吉米的愛給了彼得力量，讓他能勇敢地面對這個苛刻和喜歡批評的世界，因此小彼得特別崇拜吉米。

對他周遭的人而言，吉米也是個難得的朋友。他認爲人性本善，很難讓他相信世界上有人是不爲他人著想的。和多數青少年一樣，他無視於危險。我經常猶豫著應該警告他有關迫近的危險，或是應該讓他自己學到教訓——無論我多麼想要保護他。我記得當他快二十歲時發生過的一件事。

「吉米！你今天不要搭那輛車，叫你的朋友把車留在家裡。」

吉米沒有理會這個警告，雖然他知道不該忽略我的警告。他要自己證明兩件事：第一，母親從不會錯嗎？第二，我是個獨立的男子漢，還是個什麼都還要聽媽媽話的孩子？

那天下午，我坐立難安，我知道吉米會出事。如我所料，電話響了，是警察打來的：「你的兒子出了車禍，他被送到醫院去了。」

我立刻「感覺」到事情有蹊蹺——有些地方不對。我謝了警察，掛上電話，請比爾送我到醫院。當我們到了急診室，比爾在護士間看到吉米血跡斑斑的夾克，比爾慌了。我要他保持冷靜：「事情不是你想像的那樣，」我對護士說：「那不是我兒子的血，」護士被我弄糊塗了。在她們反應過來之前，我直接沿著走廊朝其中一個房間走去，她們要阻止我：「妳要去哪裡？妳的兒子在加護病房，請回來。」我「知道」他不在加護病房，我可以「感覺」到他。我直直地穿過走廊，走進一間病房，我知道他在裡面。吉米坐在床上，臉上有幾處刮傷，眼神充滿羞愧，因爲沒聽我的話。不幸的，他的朋友爲此付出沉重的代價，還在加護病房裡，吉米夾克上的血跡就是他的。後來，他的朋友幸運的脫離險境活了下來。這次的結果還算差強人意，但是我知道，不是每次結果都會那麼僥倖。

吉米高中畢業後到美國海軍服役，以換取退伍後可以繼續大學教育的資格。那時候美國正處在波斯灣戰爭中。

吉米熱愛他的國家，而我反對任何形式的戰爭。吉米相信替國家服務是他的義務，沒有商量的餘地。

他表現卓越、榮獲勳章後退伍。然而戰爭結束後，他和幾個同袍的肺開始出現問題，吉米不以爲意，但這個病徵僅僅是他身體問題的開始。退伍後，吉米回到聖地牙哥，在榮歸家園的狂喜下，他衝動地買了部長久以來渴望的摩托車。

他興奮地打電話給我。

「媽，我馬上就要回來看你了！」

但我知道，他的未來並非那樣的簡單。

「吉米，聽我說，你今天有計劃要出門嗎？」

「沒有呀，媽媽。」

「吉米，絕對不要碰摩托車，你明白嗎？」

「媽，不要擔心，我不會做危險事情的。」

好笑的是，當人們很想做某件事時，他們會說服自己去排除噩運降臨的可能性。雖然吉米信誓旦旦，我卻清楚他心中另有打算，他瞞不了我。

儘管有吉米的保證，掛掉電話後，我還是要比爾收拾行李，準備明天出門。比爾認爲我瘋了，「吉米兩天後就要回來耶！」儘管比爾對我和我的預感很有意見，但他太瞭解我了，所以還是照我的要求打包了行李。

我沒告訴他，我「看到」一個可怕的摩托車意外，我像親眼目睹般，「看到」這個血淋淋的車禍。

我試著要改變那結果，但我失敗了。因爲在戰火餘生的興奮下，吉米決定忽略我的警告，畢竟比起戰爭，摩托車能有多危險？

第二天，當我們在飛往聖地牙哥的飛機上時，車禍已經發生，吉米已在當地一家軍醫院裡掙扎求生。後來護士告訴我，一輛汽車闖紅燈，直接撞上吉米的新摩托車。

我看著我的寶貝吉米躺在病床上，全身插滿了管子，我幾乎看不到他的臉。血絲從包裹著他頭顱的繃帶裡滲出，醫生在他的頭部植入一個金屬器械來保護他暴露的腦子——我的寶貝瀕臨死亡。

吉米陷入半昏迷狀態，無法移動他的四肢，儘管軍醫院裡有最好的醫療專家和設備，經過多次檢查後，醫生認爲吉米康復的希望微乎其微。但我拒絕接受這個判決，我簽了出院同意書，扛起了這個希望渺茫的任務——讓我的兒子康復。

我帶他離開持悲觀態度的醫生，回到充滿能量的家裡。永遠不要低估愛、希望和禱告的力量，這股力量包圍著吉米，溫柔而堅定地發揮療效。在我們仔細的護理下，吉米走上了一個長達兩年的康復旅程。

在這裡我不詳述我們爲吉米所做的一切，重點是我「知道」我能讓他康復，吉米的「時候」還沒到。接下來是八年緩慢而平穩的復建，儘管所有的專家都持著懷疑的態度，吉米仍然康復了，但我也知道吉米的試煉尙未結束。

★★★★★★★

那時，吉米剛過三十，過著還算正常的生活，他一天一天的康復，也開始有了男性的需求。他需要一個親密關係，一個女朋友。

很快地，吉米與二十歲的鄰居玖潔成了朋友，情愫滋長，感情迅速轉濃。我告訴他對這段關係要非常的謹慎，不僅是因爲他脆弱的健康，也是因爲我「看見」這關係將徹底改變他的生命。「媽，我們只是朋友啦！」他說，但我「看到」更多：玖潔在一個問題家庭中長大，我「讀」她的時候發現她過去曾面對艱鉅的挑戰，她必須比其他少女更快的長大，我也「感覺」到她因此而憤怒。很明顯的，她不需要我的忠告。當她遇見吉米，感受到我們家庭的溫暖，她認爲自己終於找到了她一直在尋覓的東西。然而，想要癒合玖潔受傷的心靈，不單是要找到她在家裡缺少的東西那麼簡單——玖潔自己需要付出很多心力。我沒有告訴吉米這些，我只是警告他要小心。然而，吉米被欲望沖昏了頭，他們第一次約會就發生了親密關係，沒多久玖潔懷孕了，她接連生了兩個孩子。從此，吉米的生命永遠改變。

吉米深愛玖潔，可愛的孩子是他生命裡一直想要的禮物，孩子的誕生讓他確信了一個信念：無論生活如何困難，無論怎麼爭吵，只要有玖潔和孩子，他們一定能攜手克服任何障礙。吉米不再是爲自己而活，他努力地爲自己和玖潔共組的家庭工作，不幸的是，不論再怎麼努力，玖潔和他都不可能有更好的未來，因爲玖潔動蕩的過去一直在影響著她，她不自覺的一直活在過去。這段感情失去應有的寧靜祥和，變成整日爭吵不休。我知道，他們永遠不可能獲得平靜和滿足。

然而，吉米拒絕接受失敗。他用盡各種可能的方法來為他的家庭創造幸福，他發誓要排除萬難，和孩子們共度幸福一生。

不幸的是，有時候，無論多堅強的決心都不能改變註定要發生的事情。一天晚上，當我們聚在一起玩賓果遊戲的時候，「命運」降臨了。

8.

Your Hidden Truth

伊莉莎貝：我的故事

「苦難」是生命的一部分，不要懼怕它。
當你覺得命運對你特別殘酷時，想想那些處境更爲艱難的人吧！
無論痛苦再怎麼難以承擔，請爲生存而奮鬥。
智慧，就是苦難淬礪的結晶。

人們常常奇怪爲什麼我總是對發生的事有「不相稱」的感情反應，當別人哭泣時，我沈默；當別人喜悅時，我哭泣。請你瞭解，在這些事發生之前，我已經歷了，我已經哭過、笑過。所以在分離之前，我已說再見；在遇見我將遇見的人之前，我已經做好打招呼準備。這樣活著是一件困難的事，但這就是我的命，我從未對我的「天賦」有任何怨言。在我的生命中卻沒有一次比這一次更爲困難，我必須面對前所未有的痛苦折磨——預知兒子的死期。但是我知道，我的責任就是要幫助兒子和家人對「不能更改」的事做好準備。

大約是五年多前的十月，我們在家裡玩賓果遊戲，我的丈夫習慣性地坐在我的右側，小彼得坐在他右邊，比爾則坐在我的左邊。

吉米坐在我的對面，玖潔在他身旁。我們總喜歡一起玩這個遊戲。我還記得當時拿在我手上的數字。

「B－10！」

我抬頭看著吉米，他正玩得興高采烈，從他開心的表情，我「看到」了一個信號，一個我以前從沒懼怕過的信號，從我的眼角，我「看到」了那個光芒——那個在不可避免之事發生前，總會出現的光芒，這個信號從來沒錯過，他的「時候」到了。我的胸口緊抽，但我知道我必須告訴他。

「吉米！」

「什麼事，媽媽？」他以慣常的親暱口氣回答。

我變得非常嚴肅。

「吉米，」我盡力控制我的情緒，我必須堅強，「時候到了，」我柔和地說。「你明白我的意思嗎？」

大家都楞住了。

吉米「明白」我的意思。他不可置信地看著我，他想說：「我們知道妳有大能力，幫幫我！不要讓它發生！妳怎麼能讓這種事發生在妳最親愛的人身上？」但他只是靜靜地看著我，等待著……

我深愛吉米，沒有人比他更相信我的「能力」，但是如果大限已到，任何能力和信仰也無力回天。我能做的，就是幫助他和親友「準備」接納死亡。

比爾非常的憤怒。

「媽媽！不要再說了！」

每個人都知道我在說什麼，但是比爾第一個跳出來抗議。

「不是的，不是的，我們必須要做準備。」我說，閉上我的眼睛設法不顯露自己的感情。我必須繼續前進，我回到賓果遊戲，叫了下一個號碼。

「G-40。」

房裡有短暫的沈默，玖潔試圖轉移大家的心情。

「媽媽的意思是說我們必須帶吉米去看醫生。」玖潔經常對我的預言做不同的解讀來符合她的觀點，但她的觀點總是跟我的相反，她總是覺得需要跟我爭取吉米的愛，她不願意相信我的「能力」，也不要吉米相信，這是她能掌控吉米的唯一方法。

「我們可以阻止它。」她說。

比爾同意。

「你一定要好好照顧自己，吉米！兄弟！最重要的是預防！」

這番樂觀的談話似乎讓大家平靜了些，但我知道，這個要發生的事情是無法改變的。我們把剩下的賓果遊戲結束，直到大家上床後，我的丈夫輕輕地問我，是否眞的有必要講出我的預言，讓大家那麼難過。

「是的，」我堅定地回答：「我必須要說出我看到的，時間不多了。」

★★★★★★★

隔年三月，結束一場諮詢後，我從舊金山搭機返家，在飛機上我打電話給吉米。

「吉米！我要跟你一起慶祝我的生日。」

他有點困惑。

「媽媽，妳的生日要到八月耶。」

「我要跟你一起慶祝我的生日。」我重複一次。

「好的，媽媽，妳知道我愛你。」

我要盡可能地讓吉米高興。

那個周末，我做了他最愛的晚餐——大肋排，我們邀請大家過來團聚，我們盡情吃喝、歡笑，在歡笑裡，我們都忘了那個預言。

慶祝會後的幾天，吉米的病情明顯地惡化，呼吸突然變得非常艱難，我們立刻預約看醫生的時間。玖潔很擔心，但是她繼續堅持：「吉米那麼強壯，又那麼年輕，不可能有生命危險的。」然而，我知道吉米只剩下最後一個禮拜。我要他回家住。

「媽，我不能回來，」他回答：「我積了好多事，玖潔也要上班。」他左右爲難。但是，吉米從來不願意讓我失望，因此他第二天還是回來了。

我告訴他：「你住在你的房間裡，和我們待在一起，你的兄弟們也會留下。」不論他們多不願意相信我，他們仍然照著做了，如果吉米眞的有什麼萬一，他們卻不在。他們不敢冒這個險。他們待在遊戲間看棒球賽。他們歡笑耍寶，一切看起來毫無異狀。

玖潔帶著孩子們來造訪，她極力試著忍受我的要求，即使因此導致她的生活大亂。

從未懷疑過我的小彼得，則是盡可能的花時間與吉米相處，不是因爲他相信我的預言，他根本不接受「吉米死亡」的可能性，而是出於他對他哥哥的愛。

比爾認爲吉米看起來很好，他決定忽略我的「警告」而和朋友出去，「你應該留在這裡，」我對他說。但比爾已經認定一切正常，我慎重地看著他說：「我眞的認爲你應該留下。」他不高興，但他還是留下了。我的丈夫則是處在「拒絕相信」的狀態下，他覺得一切都在掌握之中，因此，他出門去辦事。沒有人相信預言眞的會發生。

玖潔每天打電話問吉米什麼時候回家，她知道當事情牽涉到我的時候，跟吉米爭論是沒有用的。因此，她只能默默忍耐少了吉米後，生活上的種種不便。玖潔仍然確信我「看到」的只是個警告，而不是即將發生的「現實」。

他們不約而同地決定要安撫我。

又過了幾天，因爲一切看起來正常，有天吉米問我，可不可以把這禮拜的預約看病時間改到另外一天。我說：「不行。該做的事就要做。」吉米很失望，他同樣不能理解即將要來臨的事情。所以，我叫他和我一起待在他的房間裡，我需要再一次和他在一起。

我們談到許多往事，包括他出生時的難產，也談到他是個好男孩和好哥哥。我們回憶那些我們共度的美好時光，我們在道別，卻沒有直接說再見。我們沒有談到他的家庭、孩子，也沒談到玖潔。吉米只問我，當他離開以後，我會不會告訴他們關於他的事，「我當然會。」

「記得我曾經能一次吃下幾個雞翅膀嗎？」

我們笑了。

「現在，我一個都吃不完。」

我們沈默地坐著，盡量不去想那個讓我們待在那裡的原因。

後來吉米打開電視機，他問我能不能像小時候一樣，頭放在我的膝上。我再次感到胸口一陣緊抽。我們一起坐著看電視，我像在過去無數次那樣的撫摸著他的頭髮。我的心中滿溢著幸福。我記得我對自己說：「我是如此的幸運，能夠事先知道即將發生的事。」

第二天早晨，我先生又出門辦事，看起來一切如常，比爾答應在他下班後會開車載我們去看醫生。

過了不到一小時，吉米突然叫喊我，他全身發白，幾乎無法呼吸，也不能移動。我立刻打電話到比爾的辦公室。

「馬上回來。吉米的情形惡化了。」

比爾很快趕回來，把他的車子從車道直接開到大門口，他跑進屋裡，把吉米抱到車上，一邊用憤怒的眼神瞪著我，他在想：「妳怎麼能讓這個事眞的發生？」

我們驅車直奔醫院。

當我們趕到急診室後，醫生要我們放輕鬆，吉米這麼年輕，一定可以熬得過去的。醫生說他會在吉米的胸口，放個類似心臟起搏器的東西。手術結束後，我們進去病房看望吉米。他輕鬆地躺坐在病床上，細數這週預定的計劃。

「媽，妳看！我好多了！」

那時候他的樣子的確好轉許多。我一直覺得奇妙的是：我們的身體會在最後一刻迴光返照，像燈泡燒壞之前會強烈地發光一樣，但在那時候沒有必要說這些。

我的丈夫也認為緊急狀況過去了，他要去學校帶小彼得來醫院。我也覺得沒必要阻止他，他不需要親眼目睹那最後的一刻。

我握著醫生的胳膊，看進他的眼睛。「我在這裡等著，如果有任何變化，求你……」我的手握得更緊，「如果情況有任何變化，請馬上告訴我。」

「沒事的，」他輕拍我的手保證：「會沒事的，我眞的不認為事情很嚴重。」

「我不是醫生，」我說：「但是……如果有任何輕微變化，請立刻告訴我。」

比爾和我在候診室等著。他顯得很輕鬆，他覺得情形很樂觀。他打電話到玖潔的辦公室，跟她解釋我們在醫院陪著吉米。我永遠忘不了接下來的那一刻，任何言語或文字都無法形容我的悲痛於萬一。二十分鐘後，一個護士朝我們走來，手裡拿著吉米的海軍十字勳章鏈子。

「他說把它給他的弟弟比爾。」

比爾的臉孔開始發白。

「他要你保留它。」

她小心地把勳章鏈子放在比爾的掌心。察覺到現場不尋常的靜默，感覺到那時的尷尬，護士匆匆地離開。

我可以「感覺」到比爾的悲痛和憤怒，他凝視著那條鏈子，那是吉米片刻不離身的東西，他拒絕接受可能的死亡，「媽，他太相信你了。」他苦澀地說，好像是我造成這些的。但比爾瞭解我不主導任何事，我只是「看見」它們。他知道，如果我能，我願付出一切來交換這齣悲劇的發生。他也知道，我從未收回過我說過的話。過去的經驗證明我的話語都會成眞，他開始相信這次我「看見」的是不可更改的。

大概十分鐘後，醫生帶著憂慮和迷惘的神色出來了。

「我真不懂，有些地方出了嚴重的問題。」

我繞過醫生，快速地跑到吉米的病房。他躺在床上，神智幾乎不清，他的「時候」到了。我感謝上帝，我準備好了，現在是我幫助吉米的時候了。我輕輕地抱著他，大聲呼喚他：「吉米！吉米！看著我！看著媽媽！」他張開了眼睛，但眼神渙散。「吉米！沒事的，不要擔心，一切都會安好。你瞭解嗎？」

「但是，媽媽，」他微語，幾乎無法呼吸，我讓他平靜下來。

「孩子，來，親親媽媽，放心的走吧。」

他看著我的眼睛，幾乎無法聚焦，但是，他努力地以眼神向我道別，我們親吻後，緩緩闔上眼睛，再也沒有睜開過。我心愛的孩子眞的走了，我抱著他的身體爲他祈禱，也爲我們的家庭祈禱。

家人們都被這突如其來的意外嚇壞了，終於，是他們哭泣的時候了。我的丈夫、小彼得和比爾被迫接受我早在六個月前就「看見」並預言過的事實。雖然當不幸的事發生在自己孩子的身上時，所有的母親會感到無盡的痛苦。但我已經「事先看到」，也比所有的人都早掉淚，如今，我才能有清晰的頭腦來幫助吉米和我的家人。

大家圍在吉米的病床邊，淚水決堤般的落下。當比爾終於能控制他的眼淚時，他打電話給玖潔。她一開始無法相信，並且指責比爾對這麼嚴肅的事也能開玩笑，但比爾聲音裡的痛苦終於讓她意識到它眞的發生了！——也該是她哭泣的時候了。

深愛的人怎麼會夭折？作爲一位母親，失去孩子更是完全無法理解的事情。但是，我們必須接受那些我們無法決定的事，與其自憐，與其爲不幸而憤怒，與其消極的活著，我們必須找到力量來接納痛苦，以及帶著逝者的愛繼續勇敢的活下去。我的眼睛是他出生時看見的第一雙，也是他離開時看到的最後一雙，我對這感恩。我深受祝福，因爲我能預先準備，替吉米和我短暫卻美好的交會，劃下沒有遺憾的休止符。

那天我還學到了另外一件事：死亡是生命旅途的終點，但若喪失「希望」，也會讓我們提早結束這段旅程。我們永遠都不能喪失希望。

第一部

發現我的隱藏眞相

Your Hidden Truth

我將與你分享我發現「我的眞我」與「我生命的目的」的心路歷程。

1. Your Hidden Truth

我的眞我

你是否常問自己「我是誰？」你是否感覺漫無目標，好像生命還沒眞正開始？你是否有想過你生命的目的？我也曾被這些問題困擾多年，多數認識我的人無法想像，以我的能力，有任何事情會困擾我。事實上，我們全都這樣辛苦地掙扎過，我將與你分享我發現「我的眞我」與「我生命的目的」的心路歷程。

上天賜給了我一個非凡而複雜的禮物——我能進入另一個人的內心，看到他「**過去**」**發生過**，和「**未來**」**可能要發生**，而有深遠影響的事件。多年來，這天賦就是我的隱藏眞相，因爲，這個複雜的禮物經常被人誤解。由於沒有同樣的經驗，他們通常是又好奇而又懷疑。儘管它帶來許多挑戰，我還是覺得我對人們有重大的責任，因爲我知道我可以幫助他們，雖然他們不瞭解這個能力，有時甚至覺得它不正當。長久以來，我所看到的，一再顯示靈驗而不容置疑。

這可能嗎？我到底看見了什麼？不用告訴我任何事情，我就能看到你的過去、現在和未來的種種細節，我是怎麼做到的？我怎麼能看到你，或你的相片，就知道你生活裡最私密的細節？爲什麼我能預言一個你生命中無備即有患的事件？我無法解釋，我就是能。我記得我小時候就能這麼做，人們會被我的能力嚇到，有些人接受它，有些人拒絕相信它。事實上，兩個反應都讓我困擾。首先，我不瞭解，對我是如此清晰可見的事，他們爲什麼看不到；其次，我不瞭解，爲什麼知道我能看到他們的事以後，他們那麼激動，我以後才明白那些或許是他們的秘密。但是我看到他們的「秘密」，就像是看到他們穿的衣服一樣的一目瞭然。

我經常說出未來將發生的事，人們把它當作孩提之言而一笑置之，直到預言成眞，譏笑才停止。有些人開始要來見這個會「看」的孩子，有些人討厭這孩子，而我，只是說出我看到的。看到的事裡有些很重要的信息，我需要把它傳達給當事人，我直覺的知道這些信息可以幫助他們。有時候它不是好消息，但是當事人需要聽到它，他們才能採取適當的行動，讓他們的生命維持在正確的軌道上。但是人們無法接受由一個孩子來做這樣的事。一個孩子怎麼可能比成人更睿智？當人們必須面對他們不能解釋的事——像他們的生命不能幸福，通常人們的反應是困惑、恐懼，甚至憤怒。對我助人之心的這些情緒反應，很快的使我閉口噤聲。

還好，我的母親和祖母沒被我的能力嚇到，當她們檢視我的預言，她們發現經歷時間的考驗，事情的發展證明我必然是對的。我擁有的是一個毋庸置疑的天分，所以她們小心的輔導它。她們知道擁有它不是件容易的事，而且它不能被忽略。它是一個天賦，像莫扎特擁有神奇的能力，能輕易的作曲；像愛迪生能捕獲電力和聲音；像愛因斯坦在俗世之外設想出另一個世界。像他們，我有超凡的視覺能力，這能力不是不可能的，它就是這樣。不管如何，它是我的隱藏眞相——多年來我一直保持低調，不讓自己惹人注意。

我上學、畢業，然後就業。在短時間裡，我成爲通用汽車公司歐洲和美國客服部門裡的第一個女性經理，然後，短時間內升爲這兩個部門的總主管。當那工作不再令我有成就感時，我進入政府和政治圈工作，而且成績斐然。我的工作一直要跟人們打交道，但是我內心知道我的方向不對，跟人一起工作是很重要，但是我知道我還有更多事情能幫他們。當時我擔憂，如果我說多了會惹毛同事，或者得罪上司，所以我選擇沉默。終於有一天，我決定我不能再擔心我說的話會讓別人不舒服，我必須考慮如果我不發揮我的潛力的後果——我以後會遺憾一輩子。

「眞相能讓你自由。」這句諺語用在我身上是太貼切不過了，接受了我隱藏的眞相——我眞實的天賦——釋放了我，並且使我走上自我成就的道路。當然，做個眞實的我要冒些風險，人們對不瞭解的事會相當的惱怒，我不會是第一個擁有這個能力而被猜疑的人。但是我決定，與其擔心他人的負面想法，或著要去滿足他人的需要及喜惡，我選擇誠實的接受天賜我的異能。**我終於成為我的眞我，我尊敬我的眞我，我接受了我的禮物**。你，也該尊敬你的眞我——那具有創造力的眞我。我這輩子的使命，就是要幫助那些遺忘了眞我，和迷失了使命的人。你必須以你的天賦來達到你的使命，以你的使命來砥勵你的天賦。

我的使命

如果不能對全世界，至少對你所在的社區要有一種使命感，你才能眞正的會有成就感。你必須要分享你的天賦，而且賦予它一個較爲崇高的意義。這一直是我努力的目標。

長久以來，從幫助了數百個人的成功經驗裡，我學到必須與其他人——許多，許多的人，分享我天賜的禮物。多年來，因爲恐懼被排斥，我一直非常的謹愼，只是私下的幫助人，我會給家人、朋友一點小小的預告，給無預警的同事一個輕輕的警告，沒過多久，他們就看出我的預言成眞不是僥倖。之後他們開始尋求我的忠告。我自然的會直接探索他們問題的根源，如果他們接受我的建議，他們就會受益，如果他們沒接受，他們也會看到事情就如我所說的發生，無論如何，他們開始信任我的能力。他們會跟朋友分享這個經驗，他們的朋友又開始來尋求我的忠告，就這樣，一個推薦一個，所以我從不缺少需要我引導的人。

但是，在我腦裡更大的問題是：我沒有足夠的時間幫助所有需要我的人。明顯的，對我的天分和時間來說，這不是個有效率的方法，我需要接觸到更多的人。於是我開始寫這本書，我開始尋找困擾人們的根本問題，當我找到它以後，我發現**這本書是解答這些問題的一個指南**。**「每個問題都有個答案。」**我毫無疑義的相信這句話。對那些熱切的要啓程去尋求眞我的人，這本書是一張地圖，它將必然的，引導他們得到一個成就自己的機會。

你的潛力

你覺不覺得你在充分發揮你的生命潛力？你有沒有盡全力發展你被賜予的天

賦？你願意幫助別人改變他的生命嗎？這是你發揮潛力的時候了。我一直很努力地每天充分發揮我的潛力，我的目標是要去改變很多人的生命，這是我發揮潛力的時候了。這也是你行動的時候，因為你在找尋你問題的答案，所以你在看這本書，你要改變你的生命，你也要推己及人，改變你周遭的人的生命，如果你願意對你的生命負責，你就能改變許多人的生命。

認識自己，服務他人，以熱情持之以恆。

讓我們攜手，為你應得的生命，為你天賜的生命，為那個你將以你的天賦來創造的生命，一起奮鬥。讓我們一起來找到你的生命。夠困擾的吧？如果不活你自己的生命，你會活誰的生命？讓我們來探尋！讓我們開始這最重要的旅途——一個自我發現和自我實現的旅途。

筆記

2.

Your Hidden Truth

相信你的夢想

我之所見……

在生活裡，你是不是感覺身陷泥沼，無法掙脫你生存環境的束縛？現在我觀察到，許多各年齡層的人，活在憂慮和絕望裡。我想知道，他們爲什麼喪失了希望？爲什麼沒了企圖心？爲什麼情願活著，只像奴隸一樣，去達成別人的願望？這是他們唯一的生命，爲什麼將它交付給別人？它困擾著我，所以我「讀」他們（當我說「讀」，我是像看電影一樣由始到終看其一生），我設法瞭解在何時，並且爲何他們對幸福喪失了希望？他們也許面帶微笑，但我知道他們戴著面具，越讀，我越瞭解他們的煩惱。他們不是毫無方向，就是覺得無法掌控未來。人們活在**退縮**之中，對他們朝思暮想的東西，他們未戰先敗。**甚而忘了他們渴望的是什麼**！年輕的時候，他們也是很樂觀的，但是有東西偷竊了他們的熱情。

然而就算是有，又是什麼樣的夢想呢？是電視一直灌輸給我們的夢想嗎？是無所不在的大公司廣告裡要我們過的日子嗎？是一些我們無法達到的夢想嗎？這些夢想跟你或你的天賦有關連嗎？

我看到的許多人只是得過且過，本能的求生存。

「誰有那個時間追求夢想？」他們自問。

生活的挑戰似乎不可逾越。

「千萬不要告訴我壞消息，拜託！我只有這麼多要求了。」

對付每天的生活，人們已經精疲力盡，只好放棄築夢。你是否也放棄了呢？我能「看到」你打退堂鼓的原因，我能「看到」你停止眞正活著，而進入假死狀態的那一剎那。在那個狀態裡，你催眠了自己，相信你無法以原有的天眞、信仰與熱情，繼續活著。這個概念卡在你的腦袋裡，像個凍結的畫面！你卻不知道心情就是腦裡的狀態！如果要改變心情，你只要改變你腦裡的狀態！也就是改變你自暴自棄的思想。

讓我們找出那些阻擋你幸福的癥結，那些阻止你進步的事情和障礙——那些隱藏的，你已遺忘，或著故意遺忘的事情和障礙。

我走過擁擠的人群。當周圍的人例行其事，我感覺著他們的能量。這麼多不同的故事，卻又如此相似。這些人終日忙碌，但大多數失去了自信，臣服於一位隱藏的主人——一個頑強的暴君。這個暴君或是他們的老闆、愛人、丈夫、妻子、父母，或是個難以駕馭的孩子，我們不能低估他們任何一個的破壞力。但是我見過最強的暴君，比這任何一個更老百年，更有力。它就是**宿命的概念**，相信宿命，人們就會變得**冷漠**——相信他們無法實現他們最高的理想，或著，如果必要，能改變他們的生命。宿命統治了我們非常長的時間。這個暴君是你生命裡看不見的主宰，長久以來，它統治著許多人，它無形，但卻無所不在。現在，我們該來改變這個迷信了。

我看到各種年紀的人，對生命中的大事不做決定，因爲別人已經替他們做了決定。他們不再夢想，因爲夢想毫無意義，夢想是自己要的，不是別人安排的路。

「夢想不會實現。」

誰說的？

「夢想總是成空。」

不嘗試，怎麼知道會失敗？但是不管怎麼說，他們相信了這些話，所以他們**成長時老是害怕會失敗**，甚至連**試試**，看看是否會成功都不敢。

你對成功的定義是什麼？把它寫下來。它和你的信仰一致嗎？

成功

你相信別人告訴你的未來嗎？你正試著依照別人的期望、欲望與指示來安排你的生命嗎？你接受了這些作爲你的「宿命」嗎？許多人在生命裡扮演著被動的角色，被命運所掌控。如果你也這麼做，你就**浪費了你獨特的生命**。這世上沒有任何人和你是相同的，爲什麼讓別人有權力來告訴你：你該是什麼樣的人。問問自己：我就這樣接受了我的「宿命」嗎？我的願望呢？我的夢想呢？

把你的願望與夢想寫下來。

你已經停止聆聽你內心的悸動和願望了嗎？許多人已經聽天由命，而不去發掘他們內心的渴望和夢想。他們一再被教導，不可質問、懷疑或挑戰命運。我的使命是改變你對命運的概念，讓你成爲自己生命的主宰。**你是你生命的主宰，而不是旁人欲望的奴隸**。然而，要改變你對命運的概念，首先你必須要知道，你是如何成爲奴隸的。

宿命與冷漠

我想知道，爲什麼許多人輕易的放棄他們的生命。或許是因爲，他們生命中發生過一些事，這些事讓他們感覺如此恐怖，使他們永遠成了殘障？

「生下來父母就拋棄了我。」

「父母總是批評我。」

「我曾經公開的被羞辱。」

「我有殘疾。」

「我曾經被拒絕。」

「我曾被背叛。」

「我的父母離異了。」

「我目擊了可怕的事。」

「我的丈夫（妻子、愛人）拋棄了我。」

「我犯了我這一生最嚴重的錯誤。」

或許是因爲有人對他們說過的一些話？

「給了你這麼多，你也該滿足了。」

「你沒有什麼天分，學個手藝吧。」

「你是智障嗎？為什麼要冒險？小心點！」

「你該跟他結婚的，愛不重要，你的未來一定要有保障。」

「你不是一個有吸引力的人，你在生命中將飽受挫折。」

或許是因爲他們聽到很傷人的話？這些話，比他們的思想和信仰還要有力。

「你什麼時候才會長大？」

「你是個夢想家！你永遠不會成功的。」

「你怎麼這麼笨？你永遠不會瞭解的。」

或許是因爲他們在還未成功之前就已經被誇獎？

「你會非常成功。」

「你將富甲一方。」

「你真美麗，得天獨厚。」

「你是個天才。」

「你會過著童話般的生活。」

或許有人告訴過你：「這是你的命，認命吧。」預言，不管是好是壞，都會讓你停止採取行動，它的邏輯是：「反正一切都是命定，我爲什麼還要做事？」事實是，那些你認爲比你聰明的人要你做的事，你不敢違背。

結果是你等待生命裡事件的發生，而不是**促使它如你所願地發生**。

就是這個「**不用你的參與和抉擇**，你的一切皆爲命定。」的概念**掠奪了你的生命**，你想想，一個概念就掠奪了你的生命，掠奪了你選擇的能力，掠奪了你成功的渴望，掠奪了你要幸福的願望，你不覺得荒謬嗎？我們必須要改變這種思維方式。

爲什麼大家把這些預言視爲不能改變的事實呢？你同意你對你的未來沒有

發言權，覺得沒有必要去渴望你想要的東西，**這是蓄意結束你的生命！**這是一種自殺——一個不能接受的選擇！**任何行為都有代價**，當還有許多其他的可能性時，你爲什麼要選擇這條路？不論是好的或壞的，我能看到你任何決定所產生的結果，我一直無法瞭解，爲什麼大家都選擇會產生壞結果的途徑？爲什麼不選擇那對的途徑呢？我看到的是：大多數人認爲他們沒得選擇！我痛苦地看著這麼多人，緩慢無心的，以這種思維方式自我毀滅。這必須停止，這個世界不能充滿著絕望的人。**我們必須改變自己，才能促使世界改變**。負面思想會摧毀我們，我確信你會同意我的看法：世界需要改變，人類的存活，地球的未來，依靠著我們的改變。

筆記

第三部

八個自我發現的步驟

Your Hidden Truth

不找藉口，採取行動

1. Your Hidden Truth

打破積習：消極、惡癮與悲觀

你說：「但是……，但是……」

它不是我能掌控的
我的情形不一樣
我真的有殘障
我無法改變我的命運
多年來，我們都是這麼做的
我幼年孤苦無依

她(他)不愛我
我試過，但是我失敗了
我沒錢
我沒時間
我有太多的責任
我無法控制自己
什麼都不會改的
我做不到，因為……

你可以找無數「藉」口，不去掌控你的生命，但是，你現在該停止找「藉」口，對你的現況負責，重新開始你的生命。你要以消除消極思想，作爲你新生命的主題曲。

消極的想法是學來的

消極想法積久成習，如果你每天早上開始抱怨，晚上大概也以抱怨結束，日復一日，它便成爲你個性的一部分。有些人也許認爲這個特質有趣，同類的人則沆瀣一氣，但是，就是它，阻止你做必須的改變。

消極想法是學來的，它是被拒絕時產生的反應。人們會說：「如果我不盼望成功，我就不會失望。」或者「我永遠遇不到適合我的人，他們都一樣，幹嘛還要尋覓？」消極想法是一個防衛機制，但是當它成爲習慣，它最終導致自我毀滅。

同時，消極的態度久之成癮，像所有的癮一樣，它接收你的身體，它的力量在你身上增長。當這發生時，你對它的容忍和依賴也相對的增長，然後，你需要的量就要增加，才能讓你滿足。消極思考經常會讓它成爲你的第二天性，你甚而不會意識到，你已經被它無情的控制。

消極思考的人會影響他們周遭的人，他們的人數和力量逐年增長，他們嘲笑樂觀的人。他們以否定與譏諷他人而自傲，以信仰悲觀而自豪。

「你無法掌握你的命運，」

「你的願望毫無意義。」

「這世界上沒有正義，」

「你這個自大的傻瓜，你以為你能改變什麼事情？」

「你必須逆來順受。」

這些話聽起來不是很熟悉嗎？這些人不是很傲慢嗎？他們告訴你，你生命裡什麼可能，什麼不可能。但是，信它的人就釋出負面的能量，導致負面的結果。就這樣的，宿命又證明它是主宰，「你不可能改變命運。」**但是，我要在這裡告訴你，他們錯了，你能改變你希望改變的任何事情**。但是你必須先要對你自己的生命負責。

上次你有消極的想法，是什麼時候？我挑戰你：盡你一切力量，**在二十四小時內，不要有消極的想法**。很難做到吧。那麼，請你觀察，你一天裡，有多少個消極的想法或態度，把它寫下來，拿它與你有積極想法的次數來比較。然後，有心的，把這個模式扭轉過來！**很清楚的選擇做個樂觀的積極思考者，並且把它養成習慣**。因爲戒除任何癮頭都很困難，起先要停止消極思考是很困難的，你必須一步一步的執行，直到你積極的想法變成多數。切記你並不孤單，許多人消極思考成癮而被控制。當你懷疑積極想法是否眞的那麼有力量之時，想想那些克服過不可能的機率，和反對意見的人。

尼爾森・曼德拉：「我們今天在此，只是代表著數百萬敢起來反抗一個社會的人；這個社會的特質是戰爭、暴力、種族主義、壓迫、抑制和讓全國人民變得更窮。」

諾曼・卡森：「不可避免的，我們，以一個人最關心的事情，來測量他。」「一個更好世界的起點是：信仰，相信它是可能的信仰。」

羅斯福夫人：「每次面對恐懼的經驗，都能使你增加你的力量、勇氣、和信心。你能告訴自己：「經歷了這個恐怖經驗後，下一個危機不算什麼了。」你必須要挑戰你認爲不可能的事。」

還有其他許多堅強的勇士，請看看他們說的話：

甘地：「你必須成爲，你在世上想要看到的改變。」

菩薩：「我們認爲我們是什麼，我們就成爲什麼。」

你能說出你生命裡一些積極思考者的名字嗎？你的榜樣是不是一個樂觀主義者？他們是成就者，或是抱怨者？而你，是哪一種呢？

筆記

你的榜樣

他（她）的長處

2.

Your Hidden Truth

瞭解塑造你我的「力量」

你的生命

你能夠開創你嚮往的未來，而不必接受被塑造好的一生，但是這要靠你鞭策自己，努力突破。因爲經過多年來的教導，你才被訓練成今日的樣子，所以你也需要時間和精力來檢查和糾正你所犯的錯誤，在之後的章節裡我們會詳談如何處理我們的過去。爲了要開創未來，我們需要勇敢地面對過去；勇於明查、勇於行動，我說「明查」，因爲常常當我們面對一個痛苦的過去，記憶就會變得模糊，但是你如何看你的過去，對你將要做的決定非常重要——**所有你的決定，形成你**

的未來。讓我們來推翻別人對你造成的阻礙。

有些人會告訴你，他們看到你一生勞碌困窮，是的，他們大概是「看見」了一些事情，但有幾個這種「先知」會告訴你，你能改變這個痛苦的未來？而我，改變過數以千計痛苦的未來，我幫助人們辨認他們的鬱結，讓他們聽到他們隱藏的渴望和夢想，我幫助他們認識他們擁有的力量，我知道這是可能的，神奇的變化發生在願意對生命負責，願意改變的人身上。

你如何踏上這個改變的道路？首先，你必須知道你的眞我。

你的開始

在你出生之時和之前，已經有許多看得見和看不見的手在塑造你，你是加諸於你身上的這些力量的產物。這些力量包括：你的父母、祖父母、外祖父母、老師、朋友及鄰居，當你成人的時候，你已經忘記這些力量的存在。當你有意識以後，你的傾向是，**對於生命中一切好或壞的事情，你都責備你自己**，即使這些都是你進入這個世界時被影響的結果。你的生命以無限的可能性開始，你周遭的環境開始塑造這些可能性，你被這些力量塑造成形了之後，你才開始有意識來思考你自己的願望。你的長輩盡了最大的努力，結果卻並不一定會圓滿。但是你永遠要記住，對幸福生命的思慕和渴望與生俱來，它是你天生的一部分，即使它曾經被誤導過，你還是可以把它找回來。

讓我們來看一個例子。

丹尼爾是我的一個客戶，熱愛他的父母把他的一生都預先安排好了——他將要成爲一個生意人，繼承家族事業。不幸的，因爲他很有教養，又感激父母，聽他們的話，他的父母沒有看到他在航空上的天分和夢想，他聽從了他的父母，而不去發展天賦——他喜愛任何可以飛的事物。由於我的幫助，他發現了對航空的熱情，那是他天生的一部分，但是他不願意讓它表現出來，果然，這個發現讓他的父母非常生氣，他們細心安排的計劃被摧毀了，還好他們爲了兒子好，放棄了他們的計劃。今天，丹尼爾是一個非常成功的航空工程師，他的父母也以他爲榮。

人類在婦女體內成形，它是生命最美好、最純淨的階段，然而孩子成長得如何，則充滿著風險。在孩子出生以前，他就有風險，母親的生理和情緒狀態會深刻的影響未出生的孩子。此外，大家對這個新生兒的期望也會讓他困惑，有人認爲這新生兒是完美的，有人不如此認爲。孩子的結果非常依賴於，他的父母如何自我評價，而孩子父母的自我評價，很大部分是受孩子的祖父母影響，祖父母也受其父母影響等等，這就是傳承的力量。我們的生命就是這樣的，被一個無形的鏈子所影響著；一個好和壞的力量組成的無止境鏈子。從懷胎開始，這一切就加諸於這個表面上，有無限可能性的新生命，教你什麼能幫你求生存、要你怎麼做、給你關於你行爲舉止的指示等等。這些影響，有時候是好的，有時不好，但是孩子不能分辨好壞。此外在你有能力決定之前，有人已經爲你做了決定，在毫無選擇之下，你就不去開發那些必要的技能，那些能讓你充滿希望的生命保留在正確軌道上的技能。

從你出生的那一刻，父母的目標應該是教會你如何獨立。當你開始學走路和講話之時，他們應該鼓勵你獨立。上學的目的是教你學習獨立。但其實不然，父母恐懼孩子受傷害，反而阻礙了孩子這個正常的轉變，父母說：「你是我的寶貝，你要相信我說的一切，以後你才能在社會上生存。」不僅父母，老師和監護人這種外在力量也會灌輸恐懼，造成你**永遠是個孩子，永遠需要父母的保護、教導和認可**。

被審視和被評判的日子

在你成長的時候，特別是早期，你會經過不計其數的審視和評判：

你很聰明—你不聰明、

你很漂亮—你不漂亮、

你會成功—你不會成功。

這些評判將塑造你怎麼看你自己，爲了你好，爲了你的生存，你的命運就這麼被決定了。這些是早期的粗糙預言，但是，它的傷害卻時常最大，孩子聽了這些預言就開始實現它們，這就是建議的力量。**孩子從父母的教訓裡，不論是好的或壞的，學到他們將成為什麼。**

舉個例子，父母教孩子要珍惜榮譽。孩子大都會模仿父母的行爲，如果父母教了孩子一些榮譽的行爲如做人誠實和謹守諾言，當周圍的人不愛惜榮譽的時候，他們會感激父母教了他們尊崇榮譽。那麼，孩子怎麼學會說謊的？他們用同樣的方式。父母也許認爲，他們的欺騙行爲可以瞞住孩子，但他們低估了孩子的智力和悟力，孩子看著父母圓滑的與世界交流，他們被人尊敬，但私下裡父母的表現不同，變成了另一個人——一個不完美的人，突然的，他們沒有時間給孩子了、沒時間給配偶了。父母展示給世界的，是一個不一樣的眞相、是一個謊言，但孩子看見這行爲在世界裡很成功，因此他們學會同樣的表現，他們學會了不誠實。

奇怪的是，很多父母認爲孩子太小不會注意到這些事情，但是孩子會注意周遭發生的一切，這些都是他「教育」的一部分。

當你完成學校教育之後，你該要顯示成果了，顯示在這世上，你會有什麼成就。那是你，這個孩子，能意識到你是個成功的，還是失敗的人的時候，你開始要負起決定「我是成功的」，或者「我是失敗的」的責任。但是你已經忘記了，這一切開始的時候，你已經忘掉了那個起點，你已經忘掉了你所有的「老師」，所以它應不應該是「我們是成功的，」或「我們是失敗的？」在你評判自己之前，**你必須知道自己，和影響過你的所有因素，你必須認出你生命中的關鍵時刻和重要人物。**

筆記

3. Your Hidden Truth

辨認生命中的關鍵時刻和重要人物

你是否記得當生命停滯之時？

當你被訓練成獨立的時候，你會因爲一些發生的事，而停止去認知你自己的願望，你需要例子嗎？想想被性騷擾，而活在別人的欲望之下的孩子，想想跋扈的父母，或者舉止還像小孩的父母，各種各樣的事件會停止孩子的成長。讓我們進一步調查，在你身上發生過的事件。

現在，讓我們回到當你決定你是成功或失敗的那一刻，如果你覺得你是失敗的，我要你再次去感受那痛苦，我要你再重活那一刻。現在你可以客觀了，我要你瞭解那一刻發生了什麼，我需要你找出你那樣感覺的原因。例如，你當時感覺：

「都是我的錯！」

是嗎？怎麼說？還有別人參與嗎？請把細節寫下來。

「我本來就不該成功的！」

你覺得你一點價值都沒有嗎？什麼原因呢？

「我醜死了。」

當你還不知道「美麗」的定義，你就這麼說自己？

「我是個壞孩子。」

當你認爲你該被懲罰的時候，這個自我批評的傷害最大。

讓我們回到那一刻，**目的不是要責備某人或怪罪某事**，最重要的是，不要爲那時發生的事苛責自己，讓過去過去，不要讓它阻礙你的未來。

讓我們回到生命停滯的那一刻，有些結果讓我們不滿意的事，讓我們回去檢視它們。這些也許是關於親密關係的事，關於父母的事，關於一些機會的事，關於一個錯誤的方向的事，或是關於周遭的親朋好友的事，無論如何，讓我們回到那一刻來檢驗與反省。在那個時間點，命運不再能讓我們註定失敗，因爲我們已經知道我們的錯誤和失敗，讓我們記取這個經驗，**未來可以由不重複這些錯誤來改變事情的結果**。

回到那個感覺，記住它是跟誰有關，有誰在場，誰該負責，是什麼力量使它那樣發生。

筆記

4.

Your Hidden Truth

找出你生命裡早期的成功經驗

記得當生命美好的時候?

爲了改正我們的錯誤,我們也必須要瞭解我們的成功。我們都有過某種程度的成功,無論那成功當時看起來是如何的微小。我要你**再次去體驗它**,你必須記住那成功時的強大感覺。**重複感受成功的感覺**,至關重要。

你曾經在學校裡名列前茅嗎?你是否做過讓父母驕傲的勞作?你贏過賽跑嗎?你解決過難搞的問題嗎?你讓人歡笑過嗎?它們是一種強而有力的感覺,所以我們會渴望再去重複那種感覺。每個我們做了正面改變的一天,每個對生命負責的一天，都是成功的一天，這是我們應該再三體驗的感覺。

你也必須記得，成功過早可能會誤導你，讓你認爲成功是你的宿命。當你成功的那刻，你是否覺得你已經成就了你的一生？你登峰造極了？你的一生確定會以成功蓋棺論定了？事實是，你要每天做出決定來創造你的未來，你必須採取行動。

筆記

全是根據童年的調教

在我更進一步之前，請不要誤會，請不要認爲「我所有的失敗都是我父母造成的」，它不是這樣的，更多的人可能需要對誤導你負責；譬如你的姑姑、叔叔、監護人或者你的榜樣。不論是誰，你將來的成就，跟你成長的環境有很大的關係，它跟與你同桌對面的男人和女人有很大的關係。當你帶著讓你興奮的想法或願望回家的時候，對它們，他們——那個帶你進入這世界的人，那個應該鼓勵和愛你的人——卻沒有任何反應，你就會想：「他們一點都不興奮，其他的人也不會覺得它們重要。」這是否意味著你應該放棄？對自己不再抱有希望？讓他們來決定你的生命？絕對不行！如果你還未學會獨立，那麼你必須馬上**自己學習如何獨立**。你的父母或監護人，已傾其所有，竭盡全力的養育你，不要苛責他們，重要的是，要知道你是如何被養育的。從知道的時候開始，**你必須對自己的人生方向負責**。

筆記

是誰的錯？

不採取行動的人，老是歸咎他人，怪罪他人，就像行動不方便的人，依賴拐杖一樣。它是一個愚蠢的行爲。因爲它容易，我們總是把現況歸咎於他人，我每次都要面對客戶的這種「藉」口。

人們不要我看到他們的「眞相」，只要我看到他們的問題，然後，要我把這些問題，責怪到他們覺得該負責的人身上。他們不希望我因爲**他們該負責任**而評論他們，他們希望在我眼裡是一個好人。但是我看人，是看他們自己拒絕承認的東西——缺陷！我們都有缺陷，它是做人的一部分。他們沒想到我會要他們對自己的生命負責，那是他們自己的生命，我不要他們負責，我該要誰來負責？當然，那是假設他們還是活著。

存在和活著有很大的區別，你只是存在？還是活著？你是否活著**你的**生命？那些不瞭解我「活著」的定義的人只是持續的「存在」，即使他們每天做的事與他們的願望、渴望及關愛毫不相關，他們還是認爲他們是活著。當他們不幸的時候，他們會推諉塞責，認爲他們的失敗都是別人的錯。你能想像自己把這麼大的權力交給別人嗎？你說：「都是他（她）把我的生命搞得一團糟。」它聽起來不是很可笑嗎？不知什麼時候，你失手，喪失了主動、交出了你的生命。這麼做的後果終會導致你痛苦惱怒。而且，因爲你每天都在做不是你想要做的事，你也會變得快快不樂。**當我們對自己不高興，我們就不能使別人愉快。**

5.

Your Hidden Truth

尊敬你的眞我，選擇你的使命

這個步驟可能是你的自我發現的旅途上最值得興奮，也是最困難的部分，你出生時就帶著一份禮物，我們都有各自的禮物，這禮物天生是我們本質的一部分——我們純粹的，沒有摻雜任何雜質的本質。但是有時候你的禮物，也就是你的天分，會被輕視、會被忽略、會被耽誤，有時候它會被那些不懂你價值的人，或嫉妒你的人所壓制，無論如何，你必須瞭解你擁有天分，你必須相信每個人都有一個「獨特的禮物」。我們生命旅途的一部分就是去發現、認識和培育這個天分。它不必是很壯觀的神奇能力，它可以是非常細微的事。想像一個對無法由肉眼看到的東西著迷的人，也許有一天，他會發明對人類有重大影響的東西。想像一個醫院裡的護士，當醫生試圖治療你時，能小心地握你的手，仔細地照顧你和關心你。所有人都有他的禮物，而且，他們都必須培育這個禮物。

認出你的天賦並不像聽起來那麼容易，你必須要仔細檢視自己。但是爲了要成爲一個圓滿的個體，完成此事是非常重要的。發現和揭開你的天分是一個過程，和它同時，也一樣重要的另一個過程是如何決定你生命的目的。

我看過許多人，他們發展的方向跟他們的天賦完全無關，即使他們成功而且擁有財富也不能讓他們眞正的快樂。反之，我見到一些人，因爲能夠與他們的眞我契合而感覺無比的喜悅。

當然，你必須要知道，只有在你與人分享你的禮物的時候，你才會感覺這眞正的喜悅。無私的分享你的禮物使你的生命有了目的。想想你如何能幫助你的社區。你問：「我只知道愛護貓狗，我也能服務我的社區嗎？」「我愛護我會員的心能推廣去服務人類嗎？」「我的夢想不像大家的那麼偉大，我怎麼服務人類呢？」找出答案，是你的責任，這答案也就是你成功的定義。另外一個結果是：

你和你最終選擇作爲你的伴侶的人之間的親密關係，也將會成功。你對你的眞我的愛和接納將吸引許多志同道合的人，你將會尋得情投意合的伴侶。許多人犯的錯誤是：尋找一個親密的關係，而希望這個關係會反射他們的本質。那像是一個盲人尋找一個能看的人。但是如果你自己是瞎的，你怎麼知道你選擇的對方能看？只因爲他們說他們能看見如何做對你比較好？他們負責你的生命嗎？你賦予了他們掌控你的權力嗎？此外，他們隱藏的眞相是什麼？你是否願意接受他們的眞面目？

如果你還是依賴著你的父母、老師或是朋友，如果你還未發現自己的使命，那麼你將會依賴著你的伴侶，你總在尋找一個人來引導你，你總在尋找一個人來填充空隙——那個由於你的本質和使命不能充分發展而產生的空隙。

6.

Your Hidden Truth

建立與你自己的關係

你與父母之間無法解決的問題，會被帶進你與伴侶的關係裡，這是你加在你無辜的伴侶身上的無形負擔。如果你成長時，沒有從父母那得到足夠的關心，你將想要從你的伴侶那裡得到關心。一個典型的抱怨是：「你都沒在聽我講話！」但是，你有沒有發現，你選的伴侶有著和你父母一模一樣的特徵——「不聽你講話」？

如果你得不到父母的認同，你將期盼你伴侶的認同，你常跟你的伴侶說「我不是一個需求不滿的人，伴侶本來就應該互相支持的。」你希望得到伴侶無條件的愛和認同，那麼，你還在想要解決你跟父母之間原來的問題。

當處在親密關係裡的時候，人們變得很投入：「我什麼都可以失敗，但我不能連感情關係都失敗。」與其從自己，他們要從別人那裡爲自己的無法適應找答案。追根究柢，他們還是必須去解決那痛苦的來源。許多人想關掉，**那不可能被滿足的負面聲音**。聲音的來源也許是父母、老師或朋友，不論是誰，你唯一會記住的是那聲音裡帶著的「否定」。他們也說了許多好話，但是自然而然的，我們只記住那些壞的話。你童年時候解決不了的關係問題，轉入了你在家庭外建立的關係裡，你不斷的要證明你的價值，你不斷的試著取悅你的伴侶，或著被取悅。

事情沒有那麼簡單

人們渴望找到他們擅長的事，能輕易上手的事，感覺自然美好的事。他們想生命裡有些容易做的事，所以他們尋找親密關係，因爲它看起來滿容易的。它看起來是個很自然的反應，事實上，「自然」是這裡唯一起作用的事，當兩人在一起感覺舒適，生物的「自然」反應就自然地發生了，短時間內，他們就組織了家庭。但在腦海裡，他們還是渴望著去證明那些負面聲音——他們將一無所成——是錯的；他們想，至少可以有個好家庭，有個家庭顯示著一個正面方向、一個選擇、一個承諾和責任感，這是很自然的。但是，他們沒意識到，如果他們不知道他們的眞我，問題會變得更大。

建立與你自己的關係

花些時間來更新你對自己的承諾。不管你生命的旅途在什麼階段，現在開始照著你的願望，重新活出你的生命。這樣做，永遠不嫌遲。好好地認識自己。我們擱置了許多我們打算做的事情，然後我們稱這些事情爲「目標」，這樣的做法讓我擔心，因爲**這些目標有時難以達成，甚至不可能達成**。所以，讓我們重新開始，但是這次，用個可及的目標。然後，踏出那第一步，因爲，**千里之途始於足下**。

愛人之前，先學會愛自己。

取悅人之前，先學會取悅自己。

你不是自私，你只是公平。

如果從未感受過自己的感覺，你怎能感受他人的感覺。

你能假裝快樂，許多不快樂的人都這麼做，但是這麼做，對你周遭的人不公平，對你也不公平。你必須以身作則，才能幫助他人。

最簡單的問題

問問你自己：我眞正想要什麼？我不是說那些大家都想要的事，像安全、愛情、幸福，我是說，在你應付原始的生存要求之前，你曾經有過的夢想。記得那些你覺得不可能和可笑而駁回的夢想嗎？你忘了你眞正的渴望嗎？不要把你的夢想交給宿命，再不要犯同樣的錯誤。不要再聽命於他人，採取行動來拿回你生命的主權。讓我們向前進，這是個新的時代，我們要用新的方法、新的思維方式。這是你的新生命，這是你對自己負責的時候，你需要掌控你的生命，把它變成你希望的樣子。我要你有那種感覺——一個創造者的感覺，我愛那種感覺。然後，我要你思考這個叫「命運」的東西，以及它在你產生這個感覺的過程裡，扮演著什麼樣的角色。

如果生命給了你第二個機會，你必須抓住它。第一個機會已經被拿走了，從那以後發生了的事，我不責備你。但是現在有了第二個機會，如果再不加利用，你只能怪你自己。

不管你年紀多大，不管你是二十、四十、六十或八十歲，你以你的方式開始充分來過這所謂的「生命」的那天，就是你眞正的開始活著的那天，即使它是你生命裡的最後六天、六個月，或最後的一小時。你必須學會**用你的方式來過你的**

生命，打破那些使你生命停滯的習慣。

筆記

7.

Your Hidden Truth

保持樂觀

好的習慣

爲了改變你宿命的思考方式，你**要有意識的做些努力**，你必須改變你對命運——你的敵人——的信仰。它是你的敵人，因爲它阻礙了你。你必須跟它爭鬥，**你必須選擇、必須行動**。命運主導著你，使你不去開拓自己的前途，命運像壞的父母，引導你到錯誤的方向，或讓你停滯不前。也許那麼多人相信命運，因爲它是你的父母告訴你的，他們也許說，「你不會成器。你不能做這，你不能做那。你要做這，你要做那。」命運，是由那些控制你的人，放在你的腦子裡的觀點。

請聽我說：宿命論是個逃避，把生命交給命運，你就沒了責任。宿命論會讓你停止，它讓你停止往對的方向前進。認出這個敵人，主導你的生命，你將找到成就和幸福。

我相信每個問題都有個答案，然而，你必須先承認你有問題，而且承認你必須要去解決它。當你開始感覺無法承受時，你要知道是你在掌控你的感覺。如果面對挑戰，你選擇感覺沮喪，那麼，你的情況將依然停滯，所以你必須對抗沮喪。如果你為你的幸福奮鬥，**幸福將會到來——這是一個每天都要執行的任務。開始努力，讓你能有個快樂的生命！**

8.

Your Hidden Truth

每天感恩和感謝

花些時間，算算你生命裡正面的事情，這裡是我所感恩的一些例子：

我的人生有目標

我有機會幫助他人

我有幾個美麗、可愛的孩子

我有地方安身

我有日用的食物

我有良朋益友

我能幫助許多人

我有一個忠誠、愛我的丈夫

保持樂觀能幫助人們度過最壞的情況。不計其數的例子顯示有人能承受痛苦、酷刑、監禁，甚而絕症，只因爲他們能保持樂觀的展望。無論生命如何困難，你總有能讓你感恩的事。現在，你爲了要主導你的生命而讀這本書，就値得慶祝。每天有許多事，你都視爲當然，你能閱讀，但是有人卻沒有視力；你能行走，但是有人全身癱瘓；你應該因爲你的好運而感恩。

如果你覺得時乖運蹇，請不要自憐。沒有視力的人更能敏銳的感覺周圍的東西，癱瘓的人常能隨想像而飛翔，他們都能適應他們的不幸。人必須奮力求取正面的展望。如果你面對疾病的挑戰，不要沉溺於愁苦之中，失去健康的人才瞭解健康的意義，他們會對生命開始感恩，因爲他們直接經驗了生命的脆弱。生命裡充滿了必須克服的挑戰，專注於這些挑戰的正面意義，你就能征服那使人衰弱的疾病：消極思維。

你要感謝你的父母，也要設法瞭解他們，他們也是人，也不完美——就像你一樣！許多人不知道父母爲他們所做的犧牲，他們不會體會這些犧牲——直到他們自己成爲父母。有些人就是不感激父母的疼愛、慷慨和犧牲，他們覺得這些是應該的，爲什麼？爲什麼他們應該得到？是什麼允許他們不必表達愛和謝意來回饋父母？他們從那裡得來的權利，可以懲罰那些爲他們犧牲的人？當有人給他們愛時，爲什麼他們要懲罰對方，而不用愛來回報？這種行爲是有代價的，總有一天，他們發現他們的內心如此空虛，而不是充滿著以時間與諒解所培養的愛，他們才會體會這個代價有多大。總有一天，父母去世，再也沒有機會表示謝意時，他們才會感覺痛苦，這個代價是最大的處罰——一個永恆的遺憾。學會認可人們爲你做的努力，不論你認爲他們是對的或錯的，對他們的好意表示感恩。

在知道有多少該感激的事後，你要花些時間來表達你的謝意。你要用微笑來表達你的謝意，在生命的旅途中持續的微笑致謝，你散發的正面能量將改變你，和你周圍的世界。

活的每天都是一個成就，當你醒來時，你要爲你的生命感恩、你要爲能獨立自主而感恩，爲你的夢想、你看見的及想要的東西而感恩，有些人無法夢想，因爲他們看不到你現在看到的事情，你能讀這本書來取回你生命的主動權，就值得慶祝。

筆記

現實的一面

我說過這一切是容易的嗎？你在尋找一個不用受苦掙扎的生命嗎？停止尋找吧！我們都在受苦，它是生命的一部分。該寬心的是，事實上，世界上有幾十億人在痛苦的對抗挑戰，而你只是其中之一。我每天看見他們，沒有人在他們的一生中不遭受痛苦。因爲不可能繞過它，你不如堅強面對它。我在那些學會接受苦難的人的身上看到偉大，重要的差別是，你怎麼處理它所產生的痛苦，如果你只是自我憐憫，你永遠學不到生命中最重要的教訓：**生命中，充滿著你必須學會克服的挑戰**。

我的願望

我看著你，我看進你的眼裡，我的目光穿過宿命的面紗，看進你心靈的深處，我看到你的純淨靈魂、你的原始渴望，在等待著被解放。我看到你生命停滯的時間和地點，我也看見你——在你還沒有害怕採取行動之前。所以我要來提醒你那以前對你很重要的事情，它可能是一段時間、是一個想法，或是一個很好或很壞的感覺，我們要藉著檢視這些事情開始，然後帶出躲在那背後的人——你的本質，他需要被帶出來，因爲他躲在那裡已經很久了，**我們一起帶出的，是他天生的潛能**。

頭腦的力量

人類的頭腦是如此的神奇。看看你的四周！你能否想像，沒有人類的非凡發明，生活會是什麼樣子？誰能想像我們今天生活裡的科技會進步如斯？是那些夢想家的功勞！電腦是如何運作的？在手機和收音機的背後是什麼魔法？我們是如何把我們自己延伸到不同的星球去的？我們虛擬的手和眼已到了火星、木星及更遠的星球！我們怎麼可能看到半個地球外的人並與他交談？我怎麼能看到你久遠的過去和遙遠的未來？這些事是怎麼發生的？這是人腦的力量——想法和視覺的神奇顯示，它是非常清楚的存在的。我們能旅行太空，並且回來分享我們的發現，我們能治療疾病、延長生命，我們能看到那看不到的，我們可以改變我們希望改變的，我們才剛剛開始發掘頭腦的非凡潛力。

想像你信仰宿命的力量，想像你的頭腦，建立了負面信念以後的威力，你頭腦的力量就會執行這些信念，而產生負面的結果。你瞭解嗎？你瞭解你擁有的力量了嗎？你完全主導著事情如何發生，我要你利用這力量來使你離開負面的道路，而踏上幸福成功的旅途。這是你的力量！你必須要發揮你全部的潛能。

我遇見的人百分之九十九缺乏信心，如果你願意幫助你自己，你就能克服這個問題，用你頭腦的無限力量將你自己導入正面的軌道。

現在你有了第二個機會，忘記你先前那個令你失望的機會，但是如果你再放棄這個機會，你只能怪你自己了。

我的使命是讓人瞭解：
當你做出決定改變，
一切將隨你而改變。
開始你的旅途吧。

第四部

生命旅途練習手冊

Your Hidden Truth

前面講過的八個步驟以及一些需要思考的問題都列在這裡，給你自己足夠的時間來回答這些問題。很快、很容易得到的回答並不一定最具有啓發性。在繼續回答問題的時候，如果有需要，請盡量更改先前的答案。這裡有空間讓你記筆記、貼相片、畫圖，和記下任何能夠幫助你瞭解你生命旅途的東西。

1.

Your Hidden Truth

打破積習：消極、惡癮與悲觀

1. 願意承認自己常有消極的想法嗎？。

2. 這些消極的想法和某些人或某些地方有關嗎？請把它們寫下來。

3. 對自己是否總是抱著負面的觀感？是什麼想法和事件讓我有這些負面的看法呢？

4. 會把造成自己負面觀感的因素歸咎於別人嗎？會怪罪哪些人？

5. 我要怎麼做才能不再遷怒他人？（記住：也許要先改變自己的現況才能做到）

6. 我是否因爲某些人而產生負面想法、進而遷怒他人？請把他們的名字寫下來。

7. 我願意改變我和這些人的相處模式嗎？

8. 我能否坦然面對尚未覺悟者的排擠和嘲笑？要怎麼做才能超越受到冷落的孤獨？

9.我是否願意相信「樂觀」並不等於「無知」?

10.我是否願意長期觀察自己的負面想法,直到終於能用正面的態度來面對事物?

2.

Your Hidden Truth

瞭解塑造你我的「力量」

1. 我的開始。

2. 我的生日。

3.我的父母：以我現在的瞭解，他們是什麼樣的人？

4.在孩提記憶裡的父母又是什麼樣的人？

5.在我出生以前他們是什麼樣的人？（也許要做一些調查才能得知這個問題的答案。本書所有的問題你們都可以拿來互相討論）

6.還有哪些人對我的童年影響至深？

7.在記憶裡，我跟父母的相處情形是什麼樣子？

8.我的母親（或者女性監護人）對我的期望是什麼？

9.我的父親（或者男性監護人）對我的期望是什麼？

3.

Your Hidden Truth

辨認生命中的關鍵時刻和重要人物

1.誰是我最要好的朋友（如果我有好朋友的話）？

2.我跟他（或她）最愉快的回憶是什麼？

3. 我跟任何人起過衝突嗎？

4. 我記得和我起衝突的人的任何事情嗎？

5. 衝突最後解決了嗎？

6.誰是我的良師益友？

7.我跟他（或她）最愉快的回憶是什麼？

8.從有記憶以來、到青少年時期爲止，我的生命有什麼重大事件發生嗎？

9. 我有沒有刻意遺忘什麼事情？

10. 有沒有什麼痛苦而我寧願忘記的回憶？

11. 我如何激勵自己、讓自己有今日的成就？

4.

Your Hidden Truth

找出你生命裡早期的成功經驗

1. 談談自己第一次的成功經驗。我做了那些事情贏得別人的嘉獎和感謝？我引人注意的特質和行爲是什麼？

2. 我有沒有繼續追尋此種成功的感覺？

3.若無，我做了哪些改變？

4.我是否試圖取悅某些人？

5.我有沒有重複自己第一次的成功經驗？

6. 我有沒有在其他領域獲得成功？

7. 在「其他領域」獲得成功是否帶給自己成就感？

8. 我的成功和我的「眞我」有沒有關連？

5.

Your Hidden Truth

尊敬你的眞我，選擇你的使命

1. 你是否曾經因爲做了什麼事而被別人大力讚揚？是因爲你展現的能力，還是你與生俱來的天賦？它可以是很簡單的事：能與人平易相處，具備組織協調的能力，對某些事物抱有極大的熱情。這些被讚揚的事情並不一定要轟轟烈烈，但是它必須要跟你自我的本質相關。你能記得曾有這樣的事情嗎？

- 有沒有一件事能讓你瘋狂且廢寢忘食的投入？
- 有沒有原本很投入、後來卻放棄的事情？
- 關於那件原本喜歡、後來卻放棄的事情，對社會是否有貢獻？放棄的原因是因爲有人禁止或勸阻嗎？

2.你最喜歡、對他人又最有價值的事情是什麼？

・有沒有一件對我來說輕而易舉、能用來服務人群的事情？

・我該如何運用天賦來幫助他人？

・我最關心、又願意全心投入的事情是什麼？

6.

Your Hidden Truth

建立與你自己的關係

1. 我是我生命裡「最重要的人」嗎？

2. 誰是我生命裡最重要的人？

3. 如果我把他（她）的需求放在第一位，他（她）眞的會受益嗎？

4. 我期望獲得他（她）什麼回報？

5. 誰是我的榜樣？

6. 如果我達成和「榜樣」一般的成就，我會以自己爲傲嗎？

7. 我以目前的成就爲傲嗎？（先不要太苛責自己，還是有「改變」的機會：如果必要，你會做什麼樣的「改變」？）

8. 我有盡全力活出自我嗎？

9. 我有好好發揮我的本質嗎？

10. 我以我的使命為榮嗎？

7.

Your Hidden Truth

保持樂觀

1. 要怎麼做才能變得積極樂觀？

2. 要多久才會有正面的想法？

3. 請寫下這些想法。

4. 這些想法跟某個地點（如工作環境）或人物（如朋友）有關嗎？

5. 我有試著去改變別人的負面想法嗎？

6. 抱著樂觀進取心態的感覺愉快嗎？

7. 我是一個勇於行動的樂觀者嗎？我採取過哪些積極行動？

8. 我是否盡力把事情做好？或只是「希望」結果良好？

8.

Your Hidden Truth

每天感恩和感謝

1. 哪些是我生命中美好的事物？

2. 我如何表達感謝之意？

3.誰是我生命中的貴人？

4.誰是我生命中的啦啦隊？

5.我是否正在爲誰加油？

6. 那些生命中的貴人知道我對他們的感激嗎？

7. 我有回報那些對我表示感激的人嗎？

8. 我是否對那些無條件愛我的人表達感激之意？

9. 我是否也無條件地愛任何人？

10. 我如何對生命中的美好事物表達感謝之意？

後記：二十一世紀的挑戰

《隱藏的眞相》主要是討論，你該如何處理你的過去和現在。我的下本書*Addictions*將進一步討論到你的現在和未來。

世界正在急遽的變化，想想，你周遭的世界，最近十年裡眞的是瞬息萬變。你可曾想像過，手中一本書大小的東西裡，竟能儲存整個圖書館裡的資料？你可曾想像過，你同時可以用它，在眨眼之間，和全世界的人聯絡？這就是我們現在所處的世界——一個「資訊」的時代。我們需要大量的資訊——有用的資訊。

這正是*Addictions*討論的主題，包括高速資訊時代及其他塑造和滿足社會需要的技術發展，對我們的影響。不管是孩子、父母、企業家、藝術家或是政治家，大家都要活在這個高速資訊的時代——要我們解答問題的速度已經要快得像查詢互聯網一樣。這類高科技業的潛力浩瀚無涯。在這個不斷變化、無限好奇和開發創新的世界裡，我們將需要爲任何意想不到的發展做準備。

任何一個三十五歲以上的人，對世界日新月異改變的速度都會非常驚訝，然而，年輕人對此早已習以爲常。而且這只是一個開始。我們應用高科技及發展它的能力正以史無前例的速度飛躍前進，許多隱藏的陷阱也隨之而來，但是，這不表示我們註定受困，請記住：我們對生命有選擇的能力，我們要爲已經存在和將要來臨的事做準備，我們可以避開這些陷阱。人們不需要有我的預知能力也可以知道隨著高科技的發展，世界變得愈來愈複雜。但多數人選擇忽略我們的世界有多危險，他們仍然認爲他們無力做出任何改變。但是如果我們不去改變它？誰去？

重要的，是要瞭解這個飄搖的世界不是任何一個人、一個政黨、一個國家或宗教所製造，它是由許多貢獻者，在許多歲月裡所累積的結果。不要認爲會有一個簡單的解決方法，不要認爲換了領導者，事情就會突然變好；不要認爲一個團體會比另一個好；不要認爲你比所有的人更知道答案。我們在同一條船上，命運緊緊相繫，必須彼此尊重、不存偏見。不要互相批評。你覺得這有可能嗎？你覺得這輩子它會發生嗎？直到我們坦誠地面對「彼此的命運相繫」的那天，世界將繼續是一個複雜的地方——充滿著危險、分歧和失望。我們應該走出窠臼，用新的無限可能來讓世界變得更好。

當我們明白了自己的眞我和過去，我們將繼續我們的旅途——瞭解自己在二十一世紀裡的未來。

結語

也許你需要幫助，也許我們還沒機會認識，不要讓它阻止你，要記得，有一大堆事情，你可以自己先做。開始做它們吧，因爲生命獎勵那些勇於改變失敗模式的人，你一定要努力，開始做那些我在這本書中講到的引導。

如果我們的旅途再次交會，請瞭解我的目的。不需交談，不需詢問，我能直接感受你的難言之隱，你的殷切渴望，你的痛苦反映在我的臉上，你的喜悅感受在我心裡。生命中充滿了未知，而未知導致恐懼，最大的就是自我恐懼——恐懼自己的想法、自己的決定、自己的行動。所以我必須成爲你才能瞭解：是什麼讓你隱忍不說，是什麼讓你不能感受幸福，是什麼讓你不能感受生命的完美。

我早就發現了我人生的目的：我將引導你發現你的眞我。我做過許多次，我將做更多次，我將使你走出愁苦，給你原因活下去，讓你歡笑、顯出你純眞的本質。所有這些事都是天賜給你的，你願意無畏地接受嗎？

爲什麼你對負面的聲音聽得那麼淸楚，卻對那長遠、永恒回響的眞理之音聽而不聞？

當我們的旅途再次交會，你會覺得我們似曾相識。你的一切都將完美。

附錄一　關於伊莉莎貝

從事私人和專業諮詢二十年以來，伊莉莎貝女士成功的改變了許多人的命運，包括美國本土和世界各地的人們。在精神分析領域裡，她是公認最有天賦靈性的其中之一，她能神奇的「看見」人們生命中未來的障礙，並幫助他們克服，這個能力曾一再的被證實。

我一再告訴大家，我最堅定的信念就是：「每個問題都有答案。」我們唯一要做的，就是要「面對」這個事實。

伊莉莎貝住在紐約長島市，她有一個美滿的家庭，有三個兒子和三個孫子。她以天賦的洞察力，幫助她的客戶選擇，進而重新塑造他們的生命。

伊莉莎貝會詳細地告訴她的客戶，當他們採取某個行動以後會發生的結果。她相信這樣可以讓人們對自己行為有更深的瞭解，進而引發他們終身不停的自省和改變。她以獨特的方法跟客戶互動，不需要塔羅牌、客戶的私人物件，或其他精神顧問們慣用的工具。

我幫助的人沒有任何限制——年輕、年老、女性、男性、已婚、未婚。要我幫助只有一個條件——你是眞心的想要改變你的生命。

伊莉莎貝參與過許多社區服務，也對五百到五千人以上的團體提供免費諮詢服務。

我覺得這種團體諮詢較有價值。我能遇見許多不同的個體；沒有一次的經驗是相同的。

伊莉莎貝在紐約長大，她很自豪自己接受了許多年的正規教育，包括被選爲高中畢業典禮的告別演講者，之後，更完成了大學學業。畢業後，伊莉莎貝跟著她的律師父親工作了一段時間，之後，進入通用汽車公司工作。因爲工作不懈，她後來一路晉升，成爲歐美通用汽車公司的第一位女性服務經理。但是，她眞正的工作早在她很小的時候就已經被註定了。

五歲的時候，伊莉莎貝就發現自己能接觸到許多人生命中不可知的部分，伊莉莎貝那有著相似能力的祖母攜手引導她如何用這天賦幫助他人，伊莉莎貝寬容的家庭也一直支持她。

我的祖母告訴我不要害怕上天讓我「看到」的特異事情，伊莉莎貝說。

「當我決定以這份天賦來幫助他人的那天，是我人生中非常重要的一天，」伊莉莎貝說：「我喜歡在人的生命中產生變化，我實在無法想像一天不助人爲樂。」

伊莉莎貝幫助過許多國內外的達官貴人，也輔助過一些世界級亞洲公司的高階主管。伊莉莎貝可以流利的使用西班牙語、希臘語和英語，目前她正在學習中文。若有需要轉譯的客戶，她則透過翻譯來進行諮詢。

附錄二　給校長、老師和家長的信

敬愛的校長、老師和家長：

我很榮幸能被邀請來貴校演講，我的主題是「溝通」，但事實上，我會幫助學生說出他們的心聲。

來台灣的時候我喜歡逛街，我能感覺到走過我身邊年輕人的心聲——他們的心情是如此的沉重。如今的學生和二十年前完全不同了，他們多數不是爲了學習而上學，而是爲了上學而上學，腦裡卻想著別的事情。老師教的還是同樣的東西，但學生卻興趣缺缺，這對熱心教學的老師們是件痛心的事。對一個想把學校辦好的校長來說，每天如此的經歷也是一件非常沮喪的事。你怎麼辦呢？我能幫助你達到你的目標。

父母們在家中與孩子溝通是一件很困難的事，你也不可能命令小孩跟你溝通。你必須要預留時間來與孩子交流，在那段時間裡，讓他們能養成聆聽、分享和學習的習慣。但是切記你每天只有一些時間和他們在一起，他們在外面還要面對許多的挑戰。

現在的學生對廣告的興趣遠比對教科書要高。我們用廣告推銷任何事情，卻從沒想到用廣告來推銷學習的好處和吸引學生的注意力。在這上面我可以發揮很大的作用，我要對他們伸出援手，改變他們的方向。他們需要知道我們希望他們成功，當他們相信我們了解他們的心聲時才有可能成功。他們不會講出他們心裡所想的，我會替他們講出來，這是我的專業。

我和你一樣都希望學生畢業的時候都熱愛學習，在我演講完以後，我保證爲你的學校完成的比所你你期望的更多。

伊莉莎貝敬啓

Dear Principal, Parents, and Teachers,

It would be an honor to be invited to speak to your children. In fact, they will be doing the speaking, but it will be through me. The theme of my talk will be Communication.

When I arrive in your city, when I walk your streets, I am struck by the heaviness of heart I feel from many of the young people walking by me. Today's student is not the same as the student of 20 years ago. Not all students, but an alarming majority of them are not in school to learn. Today's student is going through the motions of being a student. Their minds are elsewhere. They have lost interest in learning. The teachers are teaching the same lessons, but the students are not embracing the information. This is painful to any teacher who gives so much of themselves to educate our youth. To experience this on a daily basis is extremely frustrating for them and for the Principal who hopes for harmony and achievement in his academic institution. So what does one do when you feel the purpose of your institution is not being fulfilled? I assure you that I can help with this dilemma.

Parents: you must also be frustrated with the lack of communication in your homes. How you introduce the need for communication to your children is your most difficult task. Demanding communication will get you nowhere. Reasonable appointed times for communicating with each other must be established. That specific family time is where your children will learn the habit of listening, sharing and, hopefully, learning. But remember, you will only have their attention for a small portion of their day. There are more challenges.

Communication from advertisers is what captures the hearts and minds of our youth. There is advertising for everything except LEARNING. Academic institutions are not even in the competition to capture the attention of teenagers. This is where I feel I can make a difference. I want to reach-out to those distracted young people and redirect their energies. They need to be invited to succeed. And that can only happen if they believe that someone understands what they are thinking and feeling. Since they are not communicating and expressing it for themselves, I will do it for them. This is what I do.

I also know that your wish for your school is that the students will graduate with a love for learning. That is my wish as well. After our talk, I assure you that your school will have accomplished much more that day than it set out to do.

Sincerely,

Elizabeth

隱藏的真相：找出及克服生命中的障礙

2008年1月初版　　定價：新臺幣280元

著者　Elizabeth Fotinopoulos
譯者　黃照寰
發行人　林載爵

出版者　聯經出版事業股份有限公司
台北市忠孝東路四段555號
編輯部地址：台北市忠孝東路四段561號4樓
叢書主編電話：(02)27634300轉5226
發行所：台北縣新店市寶橋路235巷6弄5號7樓
電話：(02)29133656
台北忠孝門市：台北市忠孝東路四段561號1樓
電話：(02)27683708
台北新生門市：台北市新生南路三段94號
電話：(02)23620308
台中門市：台中市健行路321號
電話：(04)22371234ext.5
高雄門市：高雄市成功一路363號
電話：(07)2211234ext.5
郵政劃撥帳戶第0100559-3號
郵撥電話：27683708
印刷者　文鴻彩色製版印刷有限公司

叢書主編　林芳瑜
　　　　　賴郁婷
校對　張幸美
封面設計　蔡婕岑

行政院新聞局出版事業登記證局版臺業字第0130號

本書如有缺頁，破損，倒裝請寄回發行所更換。　　ISBN 978-957-08-3224-2（平裝）
聯經網址：www.linkingbooks.com.tw
電子信箱：linking@udngroup.com

國家圖書館出版品預行編目資料

隱藏的真相：找出及克服生命中的障礙/
Elizabeth Fotinopoulos 著．黃照寰譯．初版．
臺北市：聯經；2008 年．
（民 97）；328 面；14.8×21 公分．
譯自：Your Hidden Truth
ISBN　978-957-08-3224-2（平裝）

1.自我　2.自我實現

173.75　　　　96023262